MW00803401

FLAGELOS DE NUESTRO TIEMPO

Sobre la vida y la muerte

Alfonso Rivas Quintero

FLAGELOS DE NUESTRO TIEMPO

Sobre la vida y la muerte

2023

ISBN: 9798-89184-924-2

Editorial Jurídica Venezolana
Avda. Francisco Solano López, Torre Oasis, P.B., Local 4, Sabana Grande, Caracas, 1015, Venezuela
Teléfono (58) 212 762.3842/ Fax. (58) 212 763.52.39
http://www.editorialjuridicavenezolana.com.ve

Impreso por: Lightning Source, an INGRAM Content company
para Editorial Jurídica Venezolana International Inc.
Panamá, República de Panamá.
Email: ejvinternational@gmail.com

Portada: Alexander Cano

Imagen: "Cristo atado a la columna", de Alfonso Cano, 1642

Diagramación, composición y montaje por:
Mirna Pinto de Naranjo
en letra Book Antiqua 14, Interlineado Sencillo, mancha 11.5x18

A Celina la eterna aliada de mis luchas.
A mis hijos, Beatriz +, Celina Del Rosario,
Alfonso, Rosa Pilar y Martha Luisa

PRESENTACIÓN

El doctor y profesor Alfonso Rivas Quintero, «monogénico» jurista venezolano de origen andino, sembrado en Valencia, la Nueva Valencia del Rey luego transformada en capital de nuestra Primera República, amén de ser docente de dilatada trayectoria, catedrático universitario, con carrera judicial que honró con sobrada probidad y sabiduría, me ha pedido una nota introductoria para su más reciente ensayo. Y al mediar el afecto recíproco cultivado, he aceptado lo que al cabo es honor que me compromete, imposible de declinar. Rivas Quintero, ha sido presidente de la Asociación Venezolana de Derecho Constitucional, acompañó el proceso de reforma de la Constitución que dirigiese en 1992 el entonces expresidente Rafael Caldera, en mala hora no aprobado, y ha sido uno de los referentes del Derecho público en nuestro país. Se formó en Derecho comparado e hizo sus estudios doctorales en Londres.

Al leer su texto, no puedo menos que convenir en lo que dice de él uno de sus parientes, Luis Alberto Angulo, para quien "la precisión, claridad, ritmo y belleza del lenguaje destacan sus planteamientos reflexivos y sin estridencias". ¡Y es que el maestro Rivas Quintero, también dio clases de castellano y literatura en educación media! Es, por ende y como cabe repetirlo, un maestro cabal, y como tal, tras toda consideración, aún no deja de mirar el horizonte. Sabe imaginar el bosque, sin tropezarse con los árboles ante cada juicio que emite, en línea con la mejor prédica orteguiana.

La vida y la muerte, con sus necesarias escalas y desvíos, como el suicidio, la eutanasia, el aborto, son los temas que le ocupan y preocupan. Y una razón de fondo le anima como lo creo, apuntando a lo que es connatural a toda persona y que, en este tiempo desasido de lugares y negado en su vértigo al mismo tiempo, parece haberse olvidado, a saber, el valor eminente del bien inexcusable de la libertad y de las responsabilidades que conlleva.

Dice él, por lo mismo y obligándonos a regresar sobre la senda antropológica, que "es posible que la fecha para el tránsito a la eternidad haya sido o no prevista en el plan de Dios". Y lo hace para agregar lo que importa: "Recuérdese que Él también nos dio el «libre albedrio de seguir su plan o no y tomar nuestras decisiones como consideremos mejor, de ahí entonces que podemos concluir que Dios no nos limitó la libertad de pensar y de actuar fuera de su plan y por eso si decidimos poner fin a nuestra existencia Él no actuará coartando nuestra voluntad»".

En libro que recién he publicado - con párrafos enrevesados pero que me permiten, en lo personal, entender las reflexiones de Rivas Quintero, sin dejar de sorprenderme por ello y por la reposada agudeza de quien ha vivido en plenitud y no se detiene para dejarnos como legado enseñanzas permanentes sobre la vida, que es don y derecho - digo que, "la fractura de la memoria colectiva actual, tras saltos al pasado remoto e inmemorial y su revisionismo", es signo del «quiebre epocal» que presenciamos y nos tiene como presas. Tanto como el ecologismo integrista y de moda, a cuyas leyes habrían de someterse los seres humanos - paradójicamente, en línea contraria a lo que critica Herbert Marcuse desde la escuela de Frankfurt, pues rechaza la mecanización como estilo de vida y la pérdida de la conciencia reflexiva con vistas al «control universal», confirma lo dicho, al igual que la negación en boga del personalismo judeocristiano.

La conseja de la «corrección política» o del relativismo existencial, esa dictadura posmoderna que no discierne sobre universales en materia política ni social, ni entre la criminalidad y las leyes de la decencia humana, o sobre el carácter integrador de las civilizaciones como hijas de los espacios y el transcurso del tiempo, en suma, ahora perturban lo esencial y en cuya defensa sale el autor, a saber, el principio ordenador de la dignidad de la persona humana.

Las páginas de su ensayo breve, a profundidad y con pedagógico propósito, así lo constatan. Y mi consideración otra vez se hace impertinente, constante en mi citado texto. "El debilitamiento de los espacios geopolíticos occidentales por impulso de la sociedad de la información, mientras Rusia y China sostienen los suyos apelando incluso a la guerra, ha acelerado la fragmentación del género humano y la fragua de miríadas de nichos o retículas "de diferentes". Vivimos en un plano de deconstrucción social y cultural.

Los grandes relatos culturales se desvanecen en Occidente y la emergencia de contextos sociales signados por las inseguridades de todo orden, por la negación del valor de los "proyectos de vida" compartidos, se encuentran a la orden del día. Y al Estado y los Estados, al término, se los vacía de la idea de la nación - que es saber ser libres y como debe serlo - y de su conciencia práctica. Lo que le otorga significación inestimable a las páginas que llevarán por título Flagelos de nuestro tiempo.

Rindo, pues, mi cálido homenaje al profesor Rivas Quintero y le dejo, abusando de sus lectores y por hablar en nombre de ellos, palabras de gratitud imperecederas.

Condado Broward, 2 de octubre de 2023

Asdrúbal AGUIAR

Miembro de la Real Academia Hispanoamericana de Ciencias, Artes y Letras

NOTAS PRELIMINARES

La idea de escribir sobre los tópicos que contiene este Ensayo vino a mi mente en medio del silencio de una paz ansiada y tardía en llegar. El tiempo anterior absorbía mi actividad de manera intensa, como docente universitario y como abogado en ejercicio. Entendí que el momento había llegado de brindar otro aporte o señalar caminos de reflexión sobre la fangosa vía de los impulsos emocionales e irracionales que trastocan a futuro trastornos psíquicos, o de salud corporal o bien de desajustes familiares. Pienso que leer Ensayos como este que contiene en resumen motivos para la reflexión, podrían recuperar sentimientos de humanidad tergiversados o dormidos por circunstancias del quehacer cotidiano.

Aparte de este factor, siempre estuvo en mi mente escribir sobre el rechazo al desprecio y al valor que muchos tienen sobre la vida del ser humano sin importarles nada la interrupción por ejemplo de un embarazo, privándole de la vida a un ser ya concebido y en proceso de desarrollo.

Mi intención no está sustentada solamente en acometer un carácter critico sobre el desprecio al "derecho a vivir" y sobre las otras maneras que de forma directa o indirecta convergen a la ruptura del respeto y desarrollo de la vida en forma normal, sino que con este trabajo persigo cumplir un cometido eminentemente pedagógico donde el aspecto ético y moral rija el comportamiento de las nuevas generaciones y evite por una parte salirle al paso a quienes quieren torcer el camino ya trazado de antemano por Dios.

Dejo claro que el comportamiento de los padres frente a los hijos, mantenido por décadas sobre el mutismo lacerante de impedir instrucción sobre el tema sexual ha caracterizado al mismo como un tema "tabú" que lejos de prevenir trastornos de todo tipo, impulsan a crear otros no tan marcados en épocas pasadas.

Sobre las diversas etapas de la vida me detuve a analizarlas con crudeza especialmente en las parejas que luchan para criar a sus hijos y a tener un futuro tranquilo. La vejez, el deterioro de salud y la triste consecuencia de ser recluido en un ancianato o como los llamo yo "depósitos de humanos", dan luz para la revisión de la vida de pareja.

Alfonso RIVAS QUINTERO

CAPITULO I

~ LA VIDA ~

Para pretender dar una definición sobre la vida no busco tomar como referencia el ciclo que va desde la concepción del ser humano hasta la muerte, lo cual estaría ubicado dentro del marco biológico, que no es precisamente lo que busco para definir la vida, porque en ella confluyen una serie de vertientes de diversa índole que modelan al ser humano, desde su concepción pasando por su primera etapa dentro del vientre de la madre hasta el parto, y seguir en ese proceso de formación con la niñez, luego con la adolescencia, para seguir con la edad madura y la vejez hasta la muerte.

No intento ubicarme en ningún tipo de doctrina religiosa o filosófica, ni ser seguidor del pensamiento filosófico de un individuo en particular para definir la vida, sino mi intención, es otra, es tratar de que las personas que me lean formen su propio concepto sobre la vida, que tiene un abanico o facetas que le dan en cada una de ellas unas características propias.

En la vida de un ser humano hay factores que influyen determinante en su futuro como, por ejemplo: el tiempo de embarazo de la madre, pues hay que tomar en cuenta si el niño fue deseado o nó, si ella está feliz o no esperando su nacimiento para acariciarlo y cuidarlo como fruto de entrega y amor hacia su progenitor. Si dentro de esa feliz espera le hablaba acompañando a sus palabras una música tierna y dulce cargada emoción, Si por el contrario la mujer quiere interrumpir el embarazo y busca como deshacerse de él mediante el aborto del "ser" que lleva por dentro y recibe la influencia negativa de la amenaza ; y si es que el feto logra sobrevivir a tan terrible paso materno será una persona con traumas tan graves que su taras mentales le acosarán al punto de que en muchos casos se encontrarán dificultades muy grandes para tomar el plan divino.

No escapan al diseño del ser humano los tropiezos, los inesperados momentos cargados de sorpresas que estrujan emocionalmente la mente del individuo. La muerte de un ser querido, o el derrumbe económico sorpresivo de la familia contribuyen a redibujar la imagen del ser humano y a tomar acciones o decisiones muchas veces irracionales.

Para pretender dar una orientación que permita lograr que cada uno dé su propia definición de la vida en armonía con los temas vertidos en este trabajo, quiero hacer un alto sobre la vejez que es la última etapa en el proceso formativo del ser humano y que es la antesala de la muerte.

~ LA VEJEZ ~

Posiblemente la vejez es la etapa mas critica de la vida humana, los hijos crecen, estudian, se hacen mayores, van definiendo sus propios intereses y terminan abandonando el hogar, muchas veces mas pronto de lo imaginable. Las enfermedades se agudizan, las fuerzas físicas se debilitan por el transcurso del tiempo, los amigos se dispersan o mueren y la soledad golpea los cimientos donde la alegría y el entusiasmo apoyaban todas las iniciativas al trabajo, a las aventuras y seguir adelante sin ataduras ni frenos, Vienen las nostalgias, la rutina acecha y corroe y la incapacidad física pareciera orientarse hacia un refugio de ancianos con diversos males, son los llamados ancianatos, albergues o lugares de descanso

Descanso "los defino irónicamente como "depósitos humanos "donde se aguarda el día final. Se va allí por decisión propia o porque te llevan. Las razones son muchas y los lugares de "de una corta estancia en estos sitios es lo que se le dice a quien lo llevan". Los parientes mas cercanos escogen algún domingo para visitarlos, provocando en ellos más nostalgia e ira y desencanto que el recluido entiende como un acto de cumplimiento (de cumplo y miento) sin comprender que años atrás lo sacrificaron todo y dieron todo el amor a ellos, es decir a quienes hoy soslayan ayudar y amar.

~ DERECHO A LA VIDA ~

El derecho a la vida es por su naturaleza un derecho natural que nace con la persona desde el momento mismo de su concepción y que debe estar consagrado en la Ley Fundamental del Estado; pero como se indica a lo largo de este trabajo, no basta que este derecho se exprese en la Constitución, sino que exista una verdadera separación de los poderes en esa sociedad organizada y además como punto fundamental que se disfrute de un régimen democrático, pues de no ser así, estaríamos en presencia de un instrumento contentivo de una gran mentira constitucional, tal como ocurre en Venezuela donde el Estatuto organizativo del Estado muestra una cara distinta de la realidad que la hace engañosa y carente de sustentación legal para interponer cualquier recurso o queja contra el régimen opresor. Hace falta para el disfrute del derecho a la vida la vigencia de un estado de derecho, es decir que el Estado se someta al derecho creado por el mismo.

En tal sentido la Constitución de la República de Venezuela de 1999, establece en el Capítulo III. De los Derechos civiles **Articulo 43** lo siguiente:

> *"El derecho a la vida es inviolable. Ninguna ley podrá establecer la pena de muerte, ni autoridad alguna aplicarla. El Estado protegerá la vida de las personas que se encuentren privadas de su libertad, prestando el servicio militar o civil, o sometidas a su autoridad en cualquier otra forma."*

Esa previsión constitucional no se cumple, no hay garantías para la protección humana y la opinión internacional esta consciente del régimen dictatorial implantado y es evidente tal situación que países hermanos y otros de distintas partes del mundo reciben a miles de familias que huyen temerosos de esa debacle social, económica y política por la que atraviesa Venezuela, antes un país rico y progresista.

En la Constitución española. Existe un Reconocimiento constitucional referente al derecho a la vida, En efecto Javier Pérez Royo reseña lo siguiente: "Los derechos a la vida y a la integridad física y moral aparecen reconocidos conjuntamente en el artículo 15 de la Constitución en los términos siguientes:

> *"Todos tienen derecho a la vida y a la integridad física y moral, sin que, en ningún caso, puedan ser sometidos a torturas ni a penas ni a tratos*

inhumanos o degradantes. Queda abolida la pena de muerte, salvo lo que puedan disponer las leyes penales militares para tiempos de guerra".

Agrega dicho autor: "*El derecho a la integridad física y moral es un derecho complementario del derecho a la vida. Lo que el constituyente nos dice con su inclusión en el texto constitucional es que la vida a que se refiere el Artículo 15 no es una pura realidad biológica, si no que es la vida de los individuos en sociedad, que tiene como presupuestos la dignidad humana y la igualdad...*" y agrega: "*El hecho de que sean complementarios no quiere decir que sean derechos autónomos...*" (Javier Pérez Royo. Curso de Derecho Constitucional. Págs. 329 y 330. Séptima Edición. Marcel Pons, Ediciones Jurídicas y Sociales. S.A)

~ PLAN DE VIDA ~

Soy coincidente, eco o portavoz de Rick Warren cuando dice: "**Usted no es un accidente. Mucho tiempo antes de que usted fuere concebido por sus padres, usted fue concebido por la mente de Dios**". (Rick Warren. *The Purpose Driven Life*. Pág. 22. Zondervan, Michigan. USA) No solo esta expresión va aparejada a la existencia de un nuevo ser como consecuencia de la reproducción humana, sino que también la nueva criatura viene al mundo con un plan preconcebido por Dios;" un plan que el hombre o mujer puede seguir o no. El o ella, tiene un derecho innato de seguirlo o apartarse de él. El Creador nos dio el don de libre albedrío, de torcer o salir del camino trazado por El, y ahí viene aquella expresión sobre "buena o mala suerte." Todo depende si transitas o no el camino correcto, el que ya viene diseñado para ti. No es un camino lleno de flores de exquisitos perfumes y coloridos radiantes, con árboles gigantes y frondosos al lado de él, sino en ese camino se encontrarán dificultades, terrenos fangosos, vertientes de aguas oscuras, serpientes ponzoñosas y otras dificultades mas, que tienes que vencer y someterte a la perseverancia y al coraje para vencer y llegar al punto final que es la meta del plan previsto para ti.

El fracaso o el triunfo depende del ser humano, de su tenacidad y de saber entender los mensajes que te envía el Ser Supremo, si vas por el camino errado para corregir a tiempo. Ahí está la clave del triunfo o fracaso.

Debemos recordar aquella expresión añeja y elocuente que dice:" lo grave no es caer sino permanecer caído" de ahí entonces, la meta es lograr el objetivo sin dañar a nadie y en eso Dios estará contigo.

Voy a detenerme un poco en una referencia bíblica del ***Antiguo Testamento*** señalado en Éxodo 2 sobre un personaje que de hecho estaba condenado a morir por el simple motivo de ser varón e hijo de una hebrea; ese personaje fue MOISÉS (Salvado de las

Aguas). Moisés fue un niño hermoso, describe la Biblia, hijo de una madre hebrea, quien al nacer fue escondido por ella para evitar su muerte que pesaba sobre todo varón hebreo que naciera en Egipto y para evitar el crecimiento de hombres de la población israelita, que estaba sobrepasando a la población egipcia. A los tres meses de edad del niño, la madre quien no podía ocultarlo por más tiempo tomó un canasto de papiro, lo recubrió con alquitrán y brea, metió en él, al niño y lo puso entre los juncos a la orilla del Nilo". El niño se salva, gracias a un acto milagroso, mejor dicho, a un acto previsto en el plan, se hace hombre y cumple el rol que el plan divino había trazado. La madre y la hija del Faraón cumplieron igual que todos, fielmente el papel que la divinidad había diseñado para ellos.

~ EL RETIRO ~

El retiro en la actividad laboral es quizás unos de los puntos mas importantes que el estado moderno y democrático ha impuesto obligatorio para que la persona que ha laborado durante muchos años y ha cotizado con aportes mensuales al organismo encargado de esta materia le brinde protección social, desde el punto de vista económico, como el de salud y en otras áreas que están en relación con la normativa legal de cada país.

En USA el Seguro Social maneja la jubilación de los trabajadores que cumplen con los requisitos legales pertinentes. En efecto se tiene derecho a tal beneficio cuando se cumple al menos 62 años de edad y ha acumulado 40 créditos, lo cual logrará en un lapso de 10 años, o sea 4 créditos por año.

Es de advertir que el jubilado a los 62 años tendrá un monto reducido a diferencia si la jubilación la obtiene a los 67 años que le da una mayor protección económica.

Hago esta somera introducción solo con la finalidad de dar entrada a la intención que tengo de destacar lo importante que es la jubilación desde el punto de vista de la protección que el estado da a sus nacionales para cuando llegue la vejez y las fuerzas físicas y mentales comiencen a mermar significativamente; pero al mismo tiempo analizar el riesgo que el trabajador jubilado corre si no ha tomado durante su vida laboral algunas previsiones para cuando el retiro llegue. La adquisición de una vivienda es vital, al igual que tener algunos ahorros para dispensarse viajes o gustos que antes no pudieron hacer. Asimismo, tener en forma solvente los medios privados de transporte. De haberse hecho así fue indudablemente una proyección futurista de primer grado.

Si la jubilación la tienen marido y mujer y han previsto que el tiempo corre inexorablemente, no hay duda de que el resto del tiempo que les queda por vivir podrán hacer lo que en la juventud estuvo limitada. La crianza y educación de los niños si así hubiere sido el caso, los imprevistos personales y familiares, no hay duda de que trastocan el manejo presupuestario que se hizo antes con miras futuristas. La fe y perseverancia ayudará a alcanzar el objetivo.

Hay mucha información en los medios que el jubilado norteamericano con el monto recibido por su pensión puede vivir por el resto de sus días en países cercanos cómodamente porque el costo de vida es mas económico.

Para esta época del retiro las redes informáticas señalan que Costa Rica, Colombia y otros países hispanoamericanos son sitios ideales para radicarse en momentos de jubilación. Los paisajes, sitios turísticos, comidas aparejadas a otro tipo de culturas son atractivos que hay que tomar en cuenta.

De no someterse a un riguroso control presupuestario familiar hay un riesgo de que llegue la jubilación sin tener casa propia, ni vehículos para el transporte familiar, ni ahorros, sino mas bien deudas por uso de tarjetas, a veces por el acto irracional, todo lo cual preludia una vejez bien complicada y tormentosa.

~ LA MUERTE ~

La muerte es la etapa final de la vida. Es el proceso natural de vida del ser humano que comienza con la fecundación y concluye biológicamente con la muerte. Para muchos la parte física del cuerpo deja de funcionar, por tanto, todos los órganos del cuerpo se paralizan definitivamente y el alma se desprende a lo desconocido. El Dr. Javier Gutiérrez Jaramillo al referirse a la muerte dice:" El gran misterio del hombre es su muerte. Es un gran misterio porque nadie sabe con certeza que hay después de la muerte" **(INTRAMED Sección Arte y Cultura, Reflexiones Sobre La Vida y la Muerte).** Hay una pluralidad de concepciones en torno a lo que ocurre después de la muerte: Unos piensan que hay vida después de la muerte y que el alma controlada por Dios reencarnará en la forma que El disponga y en el momento que El decida. Con esta afirmación queda sustentada la "reencarnación", teniendo implícita las sanciones que recibirá en su nueva vida por los errores cometidos en su anterior paso terrenal.

Sobre el concepto de la muerte debemos indicar en primer término que se llama "**muerte natural**" al proceso que rige al desarrollo normal de la vida hasta su final; pero es el caso que hay momentos en que la vida se alarga artificialmente, o, mejor dicho, la muerte se retrasa por algún tiempo gracias al desarrollo científico en el campo de la medicina que permite mediante la aplicación de respiradores artificiales extender por un tiempo más la vida del moribundo; pero que al desconectarse de esos instrumentos, la persona fallece definitivamente.

La muerte es un acontecimiento que fatalmente ocurre a toda persona y aun así hay en la mayoría de los casos existe temor a ella y no se toman previsiones para resolver problemas futuros. Es el caso de un padre de familia que aun teniendo hijos pequeños no prevé que puedan ocurrir situaciones alarmantes como por ejemplo de que en cualquier momento puede sorprenderle la muerte y los hijos quedan desamparados y sin recursos para su educación y sustento.

Quiero traer una reflexión del maestro tibetano **Sogyal RIMPOCHE** quien al referirse a "el viaje por la vida y la muerte dice lo siguiente: "*Según la sabiduría de Buda, realmente podemos utilizar nuestra vida para prepararnos para la muerte. No es necesario que esperemos a que la dolorosa muerte de un allegado o la conmoción por una enfermedad incurable nos obliguen a reconsiderar nuestra vida. Al morir tampoco estamos condenados a marcharnos al encuentro de lo desconocido con las manos vacías. Podemos empezar aquí y ahora a encontrarle un sentido a nuestra vida. Podemos hacer de cada instante una oportunidad para cambiar y prepararnos de todo corazón, con precisión y serenidad, para la muerte y la* *eternidad"* (***Ob. cit. El Libro Tibetano de la Vida y de la Muerte.*** **Pág. 34 y 228. Ediciones Urano. Argentina y otros países.)**

Repetía con marcado énfasis de seguidor de Cristo, un amigo y poeta, que al hablar sobre la muerte decía: Cuando ella llegue, "yo estoy en paz con Dios". Así hay que sentirse ante el mundo que nos rodea, dejando una huella en el camino que nos trazó el Ser Supremo o en el camino que hicimos con nuestro propio ingenio; pero con amor, honradez y con respeto a Dios. Estar en paz con Dios, es una bendición porque sabemos lo que hemos hecho y lo que nos falta por hacer hasta que llegue el día final. En esa balanza podemos poner el peso de nuestras vidas y veremos donde ella se inclina.

El proceso de morir puede ser más doloroso para el enfermo y para sus familiares más cercanos, que el hecho mismo de morir de manera inminente.

La comunicación con el enfermo terminal debe ser especial y nuestras palabras deben estar cargadas de amor hacia el amigo o familiar que está envuelto en tan grave trance.

En ese encuentro físico de la visita que hagamos al enfermo es bueno recordar las palabras del maestro budista Rimpoche, que cito antes, que dice "*Cuando el moribundo empiece por fin a comunicar sus sentimientos íntimos, no interrumpas, discutas ni restes importan-*

cia a lo que diga. Los enfermos terminales o moribundos se hallan en la situación más vulnerable de su vida y necesitarás toda tu habilidad y todos tus recursos de sensibilidad, afecto y amorosa compasión para permitirles que se abran a ti. Aprende a escuchar y a recibir en silencio: un silencio receptivo y sereno que haga que la otra persona se sienta aceptada. Permanece tan relajado y tranquilo como puedas, siéntete cómodo; siéntate junto a tu pariente o amigo a punto de morir como si no tuvieras nada más importante ni más agradable que hacer."

Dijimos antes, que al final de tratar el punto de la "muerte" pretendía que cada persona que me hubiera leído **se hubiera formado una idea bastante cercana de lo que la vida es,** manifestada en sus diversas formas y experimentada en diversos momentos del ser humano, quiero decir, desde su nacimiento y a todo lo largo de su existencia. Pareciera que en los primeros tiempos no tenemos voluntad para decidir: Al nacer se nos da un nombre, se nos obligue a comunicarnos con el idioma de nuestros padres o de quienes nos críen; por lo regular se nos impone una religión y unas costumbres. que más adelante podríamos rechazar y en algunos lugares otros deciden quien será tu pareja. De ahí entonces se podrá hablar de la vida: en el colegio, en el trabajo, en la adultez, en la época matrimonial, y en fin en tantas otras etapas de la existencia humana, como seria el retiro laboral.

~ TRANSITO A LA ETERNIDAD ~

Es posible que la fecha para el tránsito a la eternidad haya sido o no prevista en el plan de 'Dios'.

Recuérdese que 'El' también nos dio el "libre albedrio" de seguir su plan o no y tomar nuestras decisiones como consideremos mejor, de ahí entonces que podemos concluir que 'Dios' no nos limitó la libertad de pensar y de actuar fuera de su plan y por eso si decidimos poner fin a nuestra existencia 'El' no actuará coartando nuestra voluntad.

~ EL SUICIDIO ~

Se afirma y con razón que en la mayoría de los casos una persona se quita la vida como consecuencia de un estado crítico de depresión. Esa depresión puede originarse por múltiples razones: la muerte súbita y trágica de un ser querido, el fracaso, la pérdida de una confrontación bélica produce en quien dirige el bando perdedor un impacto emocional tan fuerte que deciden quitarse la vida. El rompimiento súbito de una relación amorosa genera en muchos casos el homicidio- suicidio de una pareja, En los adultos mayores, la soledad, la pobreza, el aislamiento familiar, la disminución de sus fuerzas físicas, los recuerdos, añoranzas y otras tantas cosas diferentes a las de ahora, comienzan a retumbar en la mente del individuo al punto de casi enloquecer y de preguntarse así mismo **¿Que carrizo hago yo aquí?** Los resultados de esa evaluación personal y sin ayuda familiar y médica conduce a romper para siempre el curso natural de vida de la persona.

No es fácil verse envuelto en una de las circunstancias antes señaladas y no incurrir en un suicidio. Es admirable el estoicismo de algunos que estando solos, viejos, enfermos con pocos familiares o amigos que los visitan o proveen de algún tipo de ayuda, el mantenerse esperanzado de recuperar sus estadios de vida anterior. Es admirable quienes pueden mantener en su alma ese principio de fe, de que" la esperanza lo es último que se pierde".

Los niños y adolescentes son factores de riesgo de caer en la trampa del suicidio. Hay muchas causas hoy en día de que eso ocurra: sentir sentimientos de rechazo en las escuelas o colegios, bajas notas en el rendimiento o aprendizaje, sufrir burlas de los compañeros de estudio por algún defecto físico o enfermedad, o bien por venir arrastrando de su hogar problemas de desconexión con sus padres que de una u otra forma no atienden el comportamiento del menor y al verse solos caen en depresión y crisis sin asistencia en el hogar. El trabajo de ambos padres y los niños muchas horas fuera del hogar bajo el cuidado de terceros preludian fracasos, frustraciones y pérdida de objetivos posibles. A todo esto, podemos añadir que los trastornos bipolares hoy en día generan alarma en las áreas de salud de organismos públicos y privados, de ahí que tanto psicólogos y médicos en general, están contestes que de no tratarse adecuadamente por manos profesionales esos pacientes son candidatos a marcar una tendencia suicida.

No hay discusión posible de que las causas principales que conducen al suicidio vienen a ser: la depresión y los otros motivos en adultos, niños y adolescentes que indicamos anteriormente; sin embargo, nos atrevemos a decir que en otros casos no es ni la depresión ni el impacto emotivo, sino que hay otro factor, como por ejemplo si alguien desde joven pensó en que se quitaría la vida cuando su hijo cumpla 30 años de vida, o cuando su esposa muera. Si eso está en su mente desde hace mucho tiempo y se lo repite periódicamente y lo vive internamente, no hay duda de que cuando esos supuestos ocurran el sujeto materializará el acto de quitarse la vida sin depresiones ni golpes emocionales porque eso está ahí en su mente y programado en su vida y ha de cumplirse.

~ LA EUTANASIA ~

Antes de acercarme a una definición del término quiero destacar que existe una serie de situaciones en torno al tipo de pacientes, su gravedad, fase terminal, situación critica del moribundo, tiempo probable de vida, posibilidad de que el enfermo pueda expresarse por si mismo o no, que resulta en cierto modo complejo resumir en una definición que englobe las diversas aristas que el término Eutanasia envuelve.

Hay una definición en torno a ello que limita las diversas situaciones que hoy en día se manejan o resuelven bajo la noción de la Eutanasia, En efecto **se ha venido entendiendo de una manera restringida y estrecha, de que la Eutanasia: "Provoca la muerte de una persona desahuciada que sufre una enfermedad avanzada, dolorosa y terminal que suplica personalmente que se adelante su muerte".**

De acuerdo a esta definición para que proceda a llevarse a cabo una eutanasia, el enfermo debe expresarlo personalmente, estar en un uso de su razón, aun cuando es de entender que el enfermo esté turbado por la intensidad del dolor, como también de la serie de complicaciones que afectan su vida; igualmente es preciso que los médicos que lo atienden certifiquen que la enfermedad está en etapa terminal y que los dolores que lo aquejan son incontrolables con los medicamentos que se aplican. Es de advertir que en todos los casos donde puede aplicase la eutanasia, debe ser permitida por la Ley.

Otros casos que mencionar.

Hay otros casos en que una persona por varios motivos caiga en una "vida vegetal", inerte, sin ningún tipo de reacción en sus órganos vitales, sin conocimiento y por lo tanto incapaz de decir nada, situación que le sobrevino a lo largo de su vida por una enfermedad prexistente, o bien por un accidente. En algunos de estos casos y como consecuencia del adelanto científico los médicos pueden alargarle la vida a través de respiradores; pero que si se les retiran el paciente fallece.

En los casos precedentes y no teniendo el paciente uso de razón, es necesario que otra persona distinta a él solicite la eutanasia, por lo regular lo hacen los padres, el o la cónyuge, hijos o el pariente más cercano, pues de entenderse que siendo irreversible la situación lo mejor es la práctica de la eutanasia.

Según el Diccionario de la Real Academia de la Lengua Española, La Eutanasia es: "Muerte sin sufrimiento físico, en sentido restricto, lo que así se provoca voluntariamente".

Esta definición a pesar de no referirse a persona que se encuentre gravemente enferma y en etapa terminal, ni tampoco a enfermos que tengan una "vida vegetal" e irreversible, sin embargo, podría englobar las mas diversas formas de aplicación de la Eutanasia, incluso aquellas impuestas brutalmente por regímenes totalitarios como el Nazismo, donde los minusválidos y enfermos mentales, fueron exterminados masivamente bajo engaño y de acuerdo con un Programa preconcebido.

Programa de Eutanasia Nazi

Según ese Programa la idea era la matanza sistemática de los discapacitados mental y físicos que estaban internados en instituciones, sin conocimientos de sus familias. Conforme a ese programa los médicos seleccionaban los pacientes para la muerte, ... Los que eran seleccionados eran transportados a los sanatorios que servían como instalaciones centrales de gaseamiento. Les decían a las victimas que iban a someterse a una evaluación física. Eran asesinados en cámaras de gas usando monóxido de carbono puro. **(Enciclopedia del Holocausto. Página Web)**

Como puede verse la Eutanasia fue empleada por el régimen sin pedimento de familiares, sino por el contrario se usó de forma mañosa, agresiva, sin contemplación alguna y con fines selectivos tratando de que predominara una raza que consideraban superior sobre las otras que hacían vida en Alemania, a cuyos grupos sociales los consideran inferiores.

Ese Holocausto de ayer es lo que pretenden algunas personas montar hoy en día para reducir la masa poblacional mundial y reducir el costo social del Estado.

El Programa nazi vivido bajo ese régimen no solo, asesinó a judíos a quienes se consideran inferiores a ellos y por tanto no merecían vivir. Asimismo, persiguieron y asesinaron, como se indica antes, a discapacitados, enfermos mentales y también hicieron lo mismo, con homosexuales, comunistas, gitanos etc. Y la razón no era otra, "que ellos eran una raza superior y llamados a dirigir la sociedad mundial.'

Eso fue ayer y ¿que se oye decir hoy?:

Los costos sociales que tiene el Estado, sobre los minusválidos, sobre los ancianos ambos en situación de pobreza, como también los sin hogar y los sentenciados a cadenas perpetuas -dicen algunos- obliga al estado a tomar medidas drásticas para facilitar el manejo administrativo de la sociedad, haciendo menos oneroso esa protección social del Estado sobre miembros del colectivo nacional. ¿Cual es la opinión del lector?

La Eutanasia en los Estados Unidos de América

Entendemos que USA, que tiene una forma de Estado Federal ha dejado hasta hoy que los estados miembros de la Unión decidan sobre legalizar o no la Eutanasia, lo cual en cierto modo en mi opinión es más conveniente, tomando en cuenta que la diversificación permite tener un abanico de enfoques médico-legal que permita en definitiva tener en el futuro una Ley Federal que regule esta materia de una manera que satisfaga el sentimiento global de la población americana.

Los estados de la Unión donde se aplica la Eutanasia son: California, Colorado, Hawái, Montana. New Jersey, New México, Oregón.

Países en el mundo que han adoptado legalmente la Eutanasia

En Colombia la Eutanasia fue despenalizada en 1997; pero se convirtió en Ley en 2015. En ese país hay una gran actividad sobre ese mecanismo de adelantar la muerte por las circunstancias que contempla la Ley.

España, Países Bajos, Bélgica, Luxemburgo, Canadá y Nueva Zelanda han legalizado la Eutanasia y se espera que con la tendencia que hay de aliviar las penas de muchos enfermos en etapa terminal se termine de legalizar la misma.

CAPITULO II

~ LA PENA DE MUERTE ~

Nociones previas sobre el Derecho a la Vida.

Antes de hacer algunas consideraciones en torno a la pena de muerte me detengo de manera obligante a examinar un derecho natural atinente al ser humano, como es el "derecho a la vida", que se vincula estrechamente a la pena capital que algunos países han establecido para castigar de manera inclemente a quienes se coloquen dentro de las previsiones determinadas por su orden jurídico en materia penal.

El derecho a la vida es el principal derecho del hombre y es inmanente a él como persona. No hay duda de que todos los demás derechos inherentes a él dimanan de que el ser humano goce en libertad de poder estar vivo sin que nadie lo coarte o restrinja arbitrariamente en la Sociedad.

Linares Quintana en su vasto estudio sobre la libertad y la protección de los derechos individuales, se detiene a hablar sobre la libertad física, y al efecto se refiere a lo dicho por Monseñor De Andrea, expositor por excelencia de la doctrina católica de la libertad, que dice "es el don supremo de Dios hecho al hombre, después de la vida. Tan Sagrada es la obligación que pesa sobre todos de respetar la libertad, como la de respetar la vida. El hombre tiene el mismo derecho a la una que a la otra, porque le ha sido otorgada por el mismo Dios. Y por fortuna, somo todavía muchos en el mundo los hombres a quienes importa menos dar la vida que perder la libertad ya que sin libertad la vida no vale la pena de ser vivida." Esteban Echeverria, citado por el mismo Linares Quintana, dice: "la vida sin libertad es muerte." (Linares Quintana. *Tratado de Derecho Constitucional*, Parte Especial, Tomo III, páginas 8 y 10)

Como puede verse hay una estrecha relación entre la vida y la libertad. La vida es el primigenio derecho del hombre y para gozar de ella es necesario tener la libertad, lógicamente regulada esta por las leyes producto de un Estado de Derecho que obligue al estado colocarse como sujeto al igual que los particulares.

Comparto la idea de que el derecho a la vida por revestir una categoría tan esencial merece una protección del derecho penal y también como lo afirmo a lo largo de este trabajo, que esa protección se dé a nivel Constitucional para que se garantice su jerarquía dentro de esa pluralidad de derechos inmanentes al ser humano.

Bidart Campos al referirse al tema dice:

"El hombre tiene el derecho desde el primer instante de su concepción hasta el de su muerte natural, a la existencia como organismo físico a la vida corporal. Y lo tiene en forma absoluta e irrenunciable. De modo tal que nadie puede arrebatárselo, ni él mismo en consentir en su privación. "Y agrega él mas adelante: "El derecho a la vida es, pues, un derecho a la existencia, a su desarrollo biológico a la integridad del organismo en su complejo mecanismo." Germán BIDART CAMPOS. *Derecho Constitucional.* Tomo III. EDIAR Sociedad Anónima Comercial. Industrial y Financiera. Págs. 193 y 194.

Enfatiza dicho autor que: "el derecho a la vida es un derecho a la existencia, a su desarrollo biológico a la integridad de su organismo en su complejo mecanismo y que alcanza, también a la salud..." No puede haber una concepción caprichosa o política o grupal que trate de desviar el contenido real de ese derecho que está incorporado a la esencia misma del ser humano.

Cuando se habla de derecho a la vida nos referimos a todas las etapas y al desarrollo del ser humano desde el momento de su concepción hasta su muerte natural, por eso la protección debe dársele desde la concepción. El Estado debe estar alerta a la defensa de su integridad física, pues se trata de un ser indefenso, salvo la protección de la madre, si es que está feliz de su embarazo. Reitero que ese nuevo ser no le pertenece a ella. La reproducción humana está diseñada bajo el marco divino del Creador. La condena privada por el rechazo al nacimiento no debe ser un elemento sustentable para validarse en un ordenamiento jurídico.

En un estado que contemple la "pena de muerte", esta se impone por un cuerpo colegiado conforme al tipo de delito considerado como muy grave; sin embargo, en regímenes totalitarios del pasado y aun en los actuales, la pena de muerte se impone por lo regular, sin derecho a la defensa y sin tomar en cuenta el debido proceso.

Es incuestionable que el derecho a la vida es un derecho natural, primario y absoluto y que no debe ser suspendido en forma alguna y en ningún momento aun cuando se exijan ciertos requisitos de excepcionalidad que lo colocarían en todo caso como una protección incompleta, endeble y sujeta a muchos factores circunstanciales que obviamente afectaría la esencia misma del carácter absoluto que tiene dicho derecho. Si el derecho a la vida se consagra en el texto constitucional de un país, debe hacerse de una manera clara y precisa sin dejar abierta posibilidad alguna de que el mismo pudiere afectarse por excepciones de tal o cual grado de criminalidad o magnitud. Considero que la pena de muerte en cualquier caso debe estar prohibida en la Carta Fundamental de cada país y el gobierno debe ser democrático y el estado de derecho debe ser norma rectora de vida.

Reconocimiento jurídico internacional del Derecho a la Vida.

A. En la Declaración Universal de los Derechos Humanos se dejo establecido el 30 de diciembre de 1948 que el Derecho a la Vida se garantizaba en el Articulo 3 que textualmente dice lo siguiente:

   "**Articulo 3**: Del derecho a la vida a la libertad y a la seguridad de su persona. Todo individuo tiene derecho a la vida, a la libertad y a la seguridad de su persona."

B. Posteriormente en la Convención Americana de los Derechos Humanos (Pacto de San José) suscrita en fecha 27 de noviembre de 1969, quedó establecido en el articulo 4 lo siguiente:

"**Articulo 4:** Del derecho a la vida.

1. Toda persona tiene derecho a que se respete su vida. Este derecho estará protegido por la ley y, en general, a partir del momento de concepción. Nadie puede ser privado de la vida arbitrariamente.

2. En los países que no han abolido la pena de muerte, esta solo podrá imponerse por los delitos mas graves, en cumplimiento de sentencia ejecutoriada de tribunal competente y de conformidad con una ley que establezca tal pena, dictada con anterioridad de la comisión del delito. Tampoco se extenderá su aplicación a delitos a los cuales no se la aplique actualmente.

3. No se restablecerá la pena de muerte en los Estados que la han abolido.

4. En ningún caso se puede aplicar la pena de muerte por delitos políticos ni comunes conexos con los políticos.

5. No se impondrá la pena de muerte a personas que, en el momento de la comisión del delito, tuvieren menos de dieciocho años de edad o mas de setenta, ni se aplicara a las mujeres en estado de gravidez.

6. Toda persona condenada a muerte tiene derecho a solicitar la amnistía, el indulto o la conmutación de la pena, los cuales podrán ser concedidos en todos los casos. No se puede aplicar la pena de muerte mientras la solicitud este pendiente de decisión ante la autoridad competente.

La Pena de Muerte

La pena de muerte es un castigo que se aplica a una persona como consecuencia de haber cometido un delito considerado como grave dentro de la tipología que señala la legislación penal. Esta pena máxima que es superior a cualquier otra es plasmada mediante sentencia definitiva, tomada por lo regular previo dictamen de un jurado que se pronuncie por la aplicación de la pena capital. Su objetivo no es otro que el de quitarle la vida al procesado.

La pena de muerte es dolorosa e inapropiada y no sirve -como se piensa- de que es ejemplarizante y que servirá por tanto para generar miedo de potenciales actores asesinos que existan en una Sociedad; pero tal presunción no se ajusta a la realidad fáctica del caso.

A lo largo de la historia de la humanidad la pena de muerte arrastra un velo de terror no solo por el impacto emocional que ella causa en la colectividad, sino también por el método de ejecución que se ha venido aplicando con el correr del tiempo. Son muchos y variados esos métodos de horror que se han utilizado a lo largo de la historia y que no vamos a analizar todas ellas en este trabajo por cuanto la idea que tenemos es analizar la pena y los procedimientos inhumanos para su aplicación. No quiero dejar fuera los métodos utilizados en la Edad Moderna e incluso la Contemporánea que marcó un antes y un después por lo impresionante de los sistemas como ocurrió en la Inquisición y con el sistema implantado en Francia donde nació con el nombre de un médico que en realidad no fue el creador de la máquina que ejecutaría a las personas condenadas a muerte. (La guillotina)

La Inquisición

La Real Academia Española, en el Diccionario de la Lengua, trae algunas acepciones del termino Inquisición dentro de las cuales indica en el numeral 2, que ella se refiere al "Tribunal Eclesiástico, establecido para inquirir y castigar los delitos contra la fe".

En la pagina Web de Enciclopedia Humanidades se señala que: "Se conoce como Inquisición o Santa Inquisición a una serie de Instituciones y procedimientos judiciales dependientes de la Iglesia Católica o de clericós al servicio de gobiernos seculares que surgieron en Europa en la Edad Media y la Edad Moderna..."

Evidentemente que la Inquisición pone de manifiesto una mancha tenebrosa, indolente, agresiva y penosa del catolicismo e incomprensible en una religión que tiene su inspiración en las enseñanzas de Jesús de Nazaret trasmisor de amor, de bondad, de piedad, de perdón y de todo lo bueno para la humanidad.

En ese tenebroso periodo de la Inquisición, se torturaba física y mentalmente para arrancar por la fuerza confesiones sobre herejías y sobre personas que pudieren estar relacionados con los sospechosos de practicas de brujería, llegando al extremo que con esos procedimientos amañados y sin defensa terminarían en los Tribunales Inquisidores para aplicar la pena máxima, a los procesados que no era otra, la de ser quemados en a hoguera.

Históricamente se señala que la Inquisición comenzó a aplicarse bajo el Papado de Gregorio IX en el año de 1231, fecha en que se establecieron los Tribunales Eclesiásticos.

Es de advertir que las decisiones tomadas por los Tribunales Eclesiásticos eran ejecutadas por el poder civil.

Las personas que eran sospechosas de practicar la brujería eran perseguidos y finalmente condenadas, todo con base a la Bula que promulgó en el año 1484 el Papa Inocencio VII.

Las penas que se consideran muy graves se castigaban con la pena de muerte "en la Hoguera".

Esa etapa de la historia y en especial de la iglesia católica fue muy dolorosa y uno de esos procesos que culminaron con la hoguera, fue el caso de Juana de Arco, conocida como la Doncella de Orleans. Ella fue una campesina francesa y muy jovencita jugó un papel preponderante en la fase final de la Guerra de los Cien Años. Posteriormente fue apresada por sectores contrarios a su ideología y entregada a los ingleses donde fue acusada y condenada por herejía y brujería y murió en la hoguera en fecha 30 de mayo de 1431.

~ MÉTODOS DE EJECUCIÓN DE LA PENA DE MUERTE, DISTINTOS A LA HOGUERA, LA HORCA Y OTROS UTILIZADOS EN LAS RECIENTES CENTURIAS ~

La Decapitación

La decapitación como método de ejecución de la pena de muerte se aplico en la mayoría de los casos no solo en la antigüedad, para castigar los delitos graves, sino también en la época media y moderna, fundamentalmente en la antesala del uso de la Guillotina.

La Decapitación con la espada o el hacha producía un estupor que movía todos los sentimientos humanos, especialmente cuando el verdugo inexperto con el arma incurría en fallidos intentos hasta cercenar la cabeza del condenado. Se producían escenas dantescas, agonías largas y dolorosas (Amnistía Internacional). Imaginarse presenciar un acto de esta naturaleza serviría para dejar un estigma gravado en la memoria e incapaz de borrarlo jamás. Escenas como esas trastocan a los seres humanos y los conducen a transitar conductas no cónsonas con sus esquemas de vida.

La ejecución con la espada o el hacha es por si sola, un acto oprobioso y si la misma la realiza un verdugo inexperto que incurre en fallas en su cometido de matar, genera en la conciencia de los hombres y mujeres con cierta sensibilidad humana el mayor grado de repulsa.

Hemos dicho y lo ratificamos hoy que la pena de muerte es por si sola un mecanismo de privación del derecho a la vida, nada ejemplarizante, ni tampoco un verdadero castigo al autor del delito cometido, porque el tránsito de la vida a la muerte ocurre en segundos y el ejecutado no siente a posteriori el peso de la ley, a diferencia de una condena de permanecer en prisión de por vida, que supone en el condenado pensar y reflexionar lo que hizo, también en pensar la suerte que corren sus hijos, sus padres y como se van los días y los años en un centro carcelario sin tener ningún pensamiento que aliente la esperanza de la libertad.

La Guillotina, una novedosa técnica de la Decapitación

Hemos indicado con anterioridad que la ejecución de los condenados a muerte a través de la Decapitación con la espada o el hacha mostraba ante quienes presenciaban el acto (que era público) un cuadro dantesco, horroroso y repulsivo; que en muchas ocasiones se acrecentaban por los errores cometidos por los verdugos que fallaban en su acción de decapitar al condenado.

Fueron varias las personas que recogieron en su mente buscar un camino procedimental mas expedito para llegar al mismo fin; pero suprimiendo el horror y el dolor que causaba en el sometido a muerte ante los fallidos intentos de la ejecución, sino también aliviar a sus familiares y amigos de esa trágica escena.

Joseph Ignace Guillotin propuso a la Asamblea Nacional de Francia (octubre de 1789) la creación de una máquina que fuere capaz de ejecutar la Decapitación de una manera segura, eficaz, que no generara las dificultades y traumas vividos hasta esa época.

La idea de Guillotin fue originalmente rechazada; pero posteriormente se acogió la idea y se encargó el diseño de la máquina al Dr. Antoine Louis, éste buscó un fabricante, y cuando fue concluida la fabricación se hicieron experimentos en ovejas y en cadáveres, antes de ponerla en uso con personas que irían a ser ejecutadas.

Mediante la aplicación de la Guillotina se eliminaba una discriminación inexplicable, que consistía en que a unos se les decapitaba con espada o con hacha, mientras que a los plebeyos se les ahorcaban o estrangulaban o bien se llegaban a emplear los mas horrorosos procedimientos hasta llegar a la muerte.

Queremos enfatizar que el diseñador o fabricante de la máquina que reemplazó la Decapitación con la espada o con el hacha no fue Joseph Ignace GUILLOTIN, solo fue un proponente ante la Asamblea Nacional Constituyente de facilitar la ejecución de decapitación sin entrar en diseños ni construcción de ningún tipo de máquina para cumplir ese fin.

El 25 de abril de 1792 Nicolás Jacques PELLETIES se convirtió en el primer ejecutado mediante el uso de la novedosa máquina; y según datos obtenidos en Wikipedia, la enciclopedia libre se dice que: "Se estima que a lo largo del periodo del Terror fueron ajusticiados mediante guillotina en toda Francia 16.594 personas, de las cuales 2.622 lo fueron en París, principalmente en la Plaza de La Concordia."

Se agrega en el estudio antes citado que: "El uso de la Guillotina finalizó con la abolición progresiva de la pena de muerte en Europa. En Suecia, la guillotina dejó de ser utilizada en 1910, en Grecia 1913, en Bélgica en 1918, en la Republica Federal de Alemania en 1949.

En Francia la pena de muerte fue abolida por el presidente Francois MITTERAND en 1981 y el 19 de febrero de 2007, el Parlamento francés modificó la Constitución para que reflejase la Abolición de la pena de muerte."

Para cerrar este punto quiero indicar que el ultimo monarca que tuvo Francia en ese sistema de gobierno fue Luis XVI, quien también fue condenado a muerte y se le aplicó la guillotina como también a su esposa María Antonieta al igual que al político Maximiliano Robespierre que jugó un papel importante durante la Revolución Francesa.

Los métodos mas comunes que actualmente se aplican en los países donde la pena de muerte aún subsiste, son: la cámara de gas, inyección letal, electrocución, fusilamiento y otras quizás mas repugnantes que dependen del Sistema de Gobierno que tenga el país.

La Pena de Muerte en la legislación de Estados Unidos de América.

Es de hacer notar que en el texto constitucional original de este país no se incluyó los derechos y garantías ciudadanas, sino que a través de las 10 primeras enmiendas que se hicieron a la misma (Bill of Rights) y que fueron ratificadas en diciembre 15 de 1971 no se estableció de manera expresa la prohibición de la pena de muerte. Concretamente la Enmienda V establece textualmente lo siguiente:

> "*Enmienda V*: Nadie estará obligado a responder de un delito castigado con la pena capital o contra otra infamante si un gran jurado no lo denuncia o acusa, a excepción de los casos que se presenten en las fuerzas de mar o tierra o en la milicia nacional cuando se encuentre en servicio efectivo en tiempo de Guerra o peligro publico; tampoco se pondrá a persona alguna dos veces en peligro de perderé la vida o algún miembro con motivo del mismo delito; ni se le compelerá a declarar contra si misma en ningún juicio criminal; ni se le privara de la vida, la libertad o la propiedad sin el debido proceso legal; ni se ocupará la propiedad privada para uso público sin una justa indemnización."

En Estados Unidos de América no existe una regla generalizada de aplicación de la pena de muerte, pues cada estado miembro determina su uso o no y el método de ejecutarla si así fuere impuesta.

En el estado de Florida este tipo de pena aún subsiste y recientemente estuvo sobre el tapete un doloroso caso que conmovió no solo al estado sino al país entero pues la pérdida trágica y brutal cometida por un joven en contra de estudiantes y adultos movió las mas intimas fibras de sensibilidad humana.

La masacre de estudiantes se realizó tristemente el día de San Valentín de 2018 en la escuela de secundaria Marjory Stoneman Douglas de la ciudad de Parkland, estado de Florida, donde murieron 14 estudiantes y 3 empleados. Su autor un joven ligeramente superior a los 20 años (como recoge la prensa) se declaró culpable en el proceso que le siguió la administración de justicia. El Jurado que le correspondía pronunciarse sobre el tipo de pena, solicitó "cadena perpetua" para el procesado y no pidió la pena capital porque el veredicto del jurado no fue unánime.

Ya se ha notado que no estoy ganado a la idea de la pena de muerte por múltiples razones: la primera porque el derecho a la vida siempre debe respetarse ante cualquier delito que se hubiere cometido; segundo porque si lo que se persigue es una sanción severa, es mas fuerte estar privado de libertad por el resto de la vida, en vez de una pena capital, que el condenado no tiene tiempo de sufrir. Además de la argumentación anterior y para los que tenemos un criterio cristiano el derecho a estar vivo hasta la muerte natural, no puede ser arrebatada por un delito cometido aun extremadamente grave premeditadamente, calculado, atroz y cruel.

Creo entender que con justificada razón las personas que manifestaron su inconformidad con respecto a la no aplicación de la pena de muerte sino la de cadena perpetua es que no está garantizada que la aplicación de privación de la libertad sea de por vida, en razón de que años mas tarde el sentenciado pudiere recibir un Indulto de parte del Presidente de los Estados Unidos, tomando en consideración que el tiene la facultad de conceder este beneficio si el sujeto a beneficiarse de esta FACULTAD PRESIDENCIAL NO CONSTITUYE UN PELIGRO PARA LA SOCIEDAD y que la conducta del condenado en la prisión y otros factores analizados por el Jefe de Estado, tal como lo contempla el Articulo II , Sección 2 de la Constitución , con excepción de quienes estuvieren involucrados en casos de juicios políticos.

Formas de Estado. Competencias

Es importante destacar que Estados Unidos de América es un estado Federal, lo que significa que cuando se formó el Estado Norteamericano y se dictó la Constitución de 1787, los 13 estados que originalmente estructuraron ese nuevo estado único y diferente, producto de la Unión, perdieron su soberanía externa, que equivale a independencia y conservaron su soberanía interna que equivale a autonomía, lo que permite que cada ente regional, puede establecer su propio régimen y organización. Por esa razón cada estado tiene su propio poder ejecutivo, legislativo y judicial y naturalmente su propia Constitución Estatal.

Con lo narrado anteriormente queda explicado por qué existe una jurisdicción estatal y una jurisdicción federal.

En lo que respecta a la Jurisdicción Estatal, cada estado miembro de la Unión establece a través de su órgano legislativo que es su Asamblea Legislativa, la normativa correspondiente al Código Penal, como también aquellas otras que considere necesarias para tipificar otros delitos y sus penas.

En cuanto a la Jurisdicción Federal es necesario mencionar que hay una categoría de delitos que llaman "delitos federales" que son de la competencia nacional y que el procesamiento de los mismos se tramita por tribunales federales a diferencia de los delitos establecidos por cada estado y que se procesan por los tribunales estatales.

Los jueces federales son nombrados por el Presidente de la Republica con la aprobación del Senado de los Estados Unidos.

Como ejemplo de delitos federales se señalan entre otros, el asesinato del Presidente de los Estados Unidos, del Vicepresidente, de un Senador, o bien de un Diputado del Congreso nacional, o un Magistrado de la Corte Suprema de Justicia y en fin a otros altos funcionarios de la administración federal que se determinan en el Código correspondiente.

Se destaca esta diferenciación entre jurisdicción federal y la jurisdicción estatal para hacer ser hincapié de que la forma de estado que tiene el país entero es Federal, donde los estados miembros como dije antes perdieron su soberanía externa o independencia; pero conservaron su autonomía.

Situación Legal actual sobre la Pena de Muerte en los Estados Unidos de América

En los Estados Unidos de América cabe destacar que para el ano de 1972 la Corte Suprema de Justicia "ilegalizó" la pena capital, tanto a nivel estatal como federal; pero en 1976, el Tribunal Supremo de Justicia sostuvo el criterio que la Pena de Muerte no era inconstitucional "per se" ya que podía cumplir los propósitos sociales de retribución y disuasión.

De lo anterior se concluye que cada estado esta en libertad de aplicar o no la pena capital y el método de ejecución, si así fuere impuesta.

Ley del Talión, llamada también "ojo por ojo, diente por diente"

Esta ley basada en un principio jurídico de justicia retributiva que data de la antigüedad y que se caracterizaba porque imponía una sanción igual al delito cometido.

Esta Ley no contemplaba una pena semejante al transgresor de la Ley, sino una pena igual o idéntica, por eso comenzó a llamársele de esa forma.

Esta Ley esta referida en la Biblia (Antiguo Testamento) en Éxodo 21,23, 25 como también en Levítico 24,18,20 y en otros pasajes bíblicos.

Actualmente la Ley Talión se aplica en algunos países musulmanes.

No esta garantizada la "Abolición" de la pena de muerte si no existe un estado de derecho.

Hay casos en que la constitución del Estado contempla: que **"EL DERECHO A LA VIDA ES INVIOLABLE"**; y se agrega como en el caso de la Constitución de Venezuela de 1999 que: ***"Ninguna ley podrá establecer la pena de muerte, ni autoridad alguna aplicarla..."*** Esa disposición rectora y garante de un derecho civil, de nada sirve cuando no funciona la separación de los poderes y las fuerzas armadas están fuera del aparato administrativo del estado. Las sanciones o penas se aplican con procedimientos amañados, con irrespeto a la persona y al orden jurídico o bien en los cuerpos policiales políticos se tortura, se acosa, se mata, se hace desaparecer, se le colocan estupefacientes a los desafectos del gobierno para inculparlos. En algunos casos se encarcela, se viola su identidad y se les priva de la libertad hasta el cansancio; en otros casos la acción contra disidentes es mas rápida y cruenta y cuentan con el don de hacer desaparecer a alguien en cualquier momento.

Es preferible que no se garantice constitucionalmente la prohibición de la pena de muerte; pero que exista un régimen democrático y un estado de derecho. En esta circunstancia se está mejor que en el caso anterior.

CAPITULO III

~ EL ABORTO: UN ASALTO A LA VIDA ~

Análisis Previo

La naturaleza, mente universal o poder divino señaló que la reproducción humana, como forma de multiplicación del hombre en la tierra es la manera como biológicamente está determinado de forma natural, donde el ser masculino aporta el espermatozoide a través del acto sexual y la mujer el óvulo, que al unirse forman un nuevo ser distinto de ambos actores; pero que la mujer sirve no solo para que en ella se produzca la fecundación sino también sirve de proveedora alimentaria de ese "ser" que se aloja dentro de si por aproximadamente nueve meses para luego salir del claustro materno y ver la luz de ese amanecer que le espera conforme al Plan trazado por Dios, a menos que alguien tuerza o modifique temerariamente ese plan preconcebido y le prive el derecho a vivir.

Antes de hacer un somero análisis sobre el tema del aborto vale la pena detenerse a responder una serie de preguntas que a la postre ayudaría a solventar el problema creciente de querer privar al no nacido del alumbramiento.

Las preguntas son:

1. ¿Por qué una adolescente o mujer en edad reproductiva quiere abortar?

2. ¿Estará clara de conciencia la embarazada de que el aborto, es privarle la vida a un ser humano, en proceso de desarrollo?

3. ¿Habrá recibido oportunamente la adolescente embarazada información de sus padrea sobre la sexualidad, reproducción humana, mecanismos o medios de evitar un embarazo?

4. ¿Saben o no las mujeres la responsabilidad moral y espiritual, de salir embarazada y de parir y no tener recursos económicos para sufragar sus gastos y del recién nacido por que no cuentan con apoyo de sus padres ni con el padre de la criatura?

5. ¿Recibieron las adolescentes información de sus madres sobre lo bello de la maternidad y lo bello que es la acaricia de un nené lleno de ternura y amor?

6. ¿Que han hecho los organismos del estado para educar a la juventud en materia de sexualidad, de los riesgos de embarazos no deseados, de los pro-

blemas que pueden sobrevenirles a quienes estudian, a la familia que tratan de ayudar a la recién parida, a los cambios de planes, a los desencantos generados por la indiferencia paternal que pone de manifiesto al sujeto que usó la mujer para satisfacer un impulso erótico circunstancial?

7. ¿Habrá recibido el varón adolescente información de su padre que debe usar preservativo al momento de acto sexual para evitarle a la mujer un embarazo no deseado por él, ni por la mujer porque ambos solo deseaban satisfacer sus instintos sexuales?

8. ¿Le gustaría a un padre conocer que una mujer reclamara la paternidad de un niño porque su hijo tuvo una vez relación sexual con ella sin usar preservativo alguno, generando una duda razonable en la mente de ese presunto padre-abuelo y negarle el apoyo material y espiritual?

La razón de las preguntas es producir en primer término, un autoanálisis en los padres principalmente en sus menores hijos, poniendo de lado el freno-tabú enclaustrado por años en la conciencia de los progenitores y en segundo lugar instar al estado a ser más eficiente en programar y actuar con instructores especializados a educar y orientar a los menores en esa materia, con lo que se evitaría que otras personas sean quienes respondan inadecuadamente las preguntas sobre sexo, aborto, consecuencias de salud, repercusiones psíquicas, etc.

Entiendo que de lograrse cubrir estos espacios y resolverse pedagógicamente la ansiedad del menor, se evitaría los embarazos no deseados y por lo consiguiente los abortos. Por otra parte, estimo que la salud psíquica de quien abortó impulsivamente sin ningún tipo de asesoramiento previo puede dejar en ella huellas perturbadoras en su conciencia y preguntarse si hizo bien o no; y, si le cercenó la vida al hijo que velaría por ella en el futuro y que él pudo ser una persona de bien. Eso la atormentaría de por vida.

No hay duda que uno de los temas que son objeto de análisis y discusión -mas de carácter jurídico que humano- es el Aborto. Si el tema se enfoca relacionando lo jurídico con lo moral, con lo religioso y con el proceso natural de vida, resulta incomprensible afirmar que la mujer tenga derecho a disponer -como si fuera suyo- del "ser" que se formó en su cuerpo a consecuencia de un acto sexual donde un ovulo y un espermatozoide se unen para el desarrollo de una nueva vida.

UN NUEVO SER, EMBRIÓN, FETO o como se le llame, tiene un proceso de desarrollo en el vientre de la mujer hasta el Parto. En efecto en el Diccionario de la Lengua Española, se indica que el embrión en la especie humana, producto de la concepción, se cataloga como tal hasta fines del tercer mes del embarazo.

Muchas legislaciones y en especial en Leyes Ordinarias, indican que "el feto se tendrá como nacido cuando se trate de su bien; y para que sea reputado como persona basta que haya nacido vivo"; cuando se trata de su bien, significa a nuestro entender, que debe respetársele el derecho a su pleno desarrollo y vida y además que el nombre de "feto", no es otra cosa que una fase del desarrollo de ese ser".

La Convención Americana sobre Derechos Humanos pactada en San José de Costa Rica el 7 al 22 de Noviembre de 1969, establece en su Artículo 4 que "el derecho a la vida comienza a partir del momento de la CONCEPCIÓN y que nadie puede ser privado de la vida arbitrariamente". Nos preguntamos: ***¿Acaso el Aborto no es una privación arbitraria a la Vida?***

El embrión. La fecundación. El feto

Si el embrión es como señala el Diccionario de la Real Academia de la Lengua, el producto de la "C o n c e p c i ó n " hasta fines del tercer mes de embarazo, concluimos que el Embrión es una fase del desarrollo potencial de "un ser humano, que ha tenido como punto de partida la "Fecundación", que es la etapa primigenia de la "reproducción sexual, en la cual el elemento reproductive masculine se une con el femenino para dar inicio a un nuevo ser, pudiendo llamársele de diversas formas hasta la última etapa cuando ocurra el parto.

La mujer embarazada no tiene ningún derecho humano que pueda invocar para interrumpir el embarazo excepto cuando está en juego su vida o exista malformación del feto. Puede estar en juego la vida de la mujer por razones psíquicas producto de una violación que haya dejado traumas tan graves que el mismo "ser" por nacer, pudiere arrastrar tan graves problemas de su madre que científicamente podría someterlo a un riesgo social de traer al mundo un ser con taras mentales de gran magnitud, o de otra naturaleza que lo cataloguen como 'irrecuperable'. Naturalmente que, en estos dos casos de la excepción, podría permitirse el aborto terapéutico siempre y cuando lo certifique previamente un equipo médico calificado.

Al darse la Concepción de un nuevo ser - como hemos enfatizado antes - a la mujer NO LE NACE NINGÚN DERECHO PERSONAL. EL Ser que lleva dentro de sí, es por lo regular el resultado natural de un acto sexual consentido [salvo el de violación]. Ese embrión, feto o como se le llame no le pertenece a ella, es un ser extraño a su organismo, que tiene derechos distintos a su progenitora. A la mujer lo que le nace es una serie de deberes de protección y cuidado al concebido.

Estimo que una mujer que haya sufrido una violación y no presente a priori trastornos graves de salud psíquica o física, debe continuar con el proceso de embarazo hasta el parto. No podrá invocar para deshacerse del nuevo "ser", dificultades económicas, problemas sociales o de otra naturaleza para su cuidado y del ser por nacer. Los organismos del Estado en materia social serían los obligados a asumir o brindar todos los servicios requeridos para la madre y el hijo.

El Feto

Sin pretender en forma alguna invadir áreas médicas quiero precisar desde el punto de vista metodológico, que he entendido que el "ser" concebido a través de un acto sexual consentido, es llamado genéricamente: Feto; pero recibe otras denominaciones a lo largo de su desarrollo; por ejemplo en su primera etapa se le llama "Embrión".

Como lo señala la INSTITUCIÓN MEDICA STANFORD (Medicine Childrens Health) en su página web, que al final de la semana cuatro del embarazo se observa lo siguiente: "Comienzan a formarse todos los sistemas y órganos más importantes. El embrión parece un renacuajo. Comienza a formarse el tubo neural que se convierte en cerebro y médula espinal), el Sistema digestivo y el Corazón y Sistema circulatorio.

Comienzan a desarrollarse los ojos y los oídos. Aparecen extremidades diminutas (que se desarrollan en brazos y piernas). El Corazón late."

He querido incorporar a este escrito la opinión de **Zelmira Bottini del Rey**, médica pediatra del **Instituto de Bioética de la Universidad Católica de Córdoba**, quien publica en el diario La Nación, un trabajo donde entre otros puntos dice:

> "La ciencia ha demostrado en forma fehaciente que la vida humana comienza con la fecundación (subrayado nuestro), es decir con la fusión de un óvulo y un espermatozoide. A partir de ese momento se está en presencia de un nuevo ser que se irá desarrollando de manera coordinada, continua y gradual...". Referencia tomada por internet en la página de la UCC (Jesuita).

Penalización y despenalización del aborto

Sobre este punto no hay un criterio unánime en las legislaciones del mundo, unos lo penalizan y otros permiten decidir por sí sola sobre el aborto.

Frente a la opinión de que la mujer pudiere tener derechos constitucionales para decidir por sí misma abortar, sin los motivos graves que se han indicado en este trabajo, **considero** que por muy íntima y trascendente que sea esa decisión no se debe olvidar que el "ser" que tiene por dentro, por el embarazo, ese ser "es distinto a ella" y no le pertenece. Si la mujer fue a un acto sexual consentido pudo prever que podía salir embarazada, muchas adultas y jovencitas de hoy en día tienen alguna cultura sobre sexo, prevención de embarazo, preservativos, etc. y naturalmente después de satisfacer sus instintos sexuales no es justo, ni legal que se atente contra el embrión o feto, para deshacerse de ese nuevo "ser" que se formó dentro de sí. Como dije antes, ella no puede decidir sobre la vida de otro ser, distinto a ella. En vez de derechos, le nacen obligaciones, que por razones naturales la vida le impone.

Nos preguntamos

1. ¿Será que acaso los legisladores del mundo, no se dan cuenta que se está en presencia de un ser que está con vida? ¿De que al permitirse un aborto después de cualquier semana, se está cometiendo un ataque al derecho a la vida, a la persona, al ser humano?

2.- ¿En verdad será que los PAÍSES defienden el derecho a la vida?

3.- ¿Será que se puede dormir tranquilo al firmar una ley que permita el aborto?

4.- ¿La mujer que pretende abortar será que pierde la sensibilidad de la maternidad?

5.- ¿Por qué la mayoría de los políticos no enfrentan con coraje y decisión la defensa del derecho a la vida y se oponen al aborto? ¿Acaso con ese comportamiento político trasmiten seriedad al electorado?

6.- ¿Será que los políticos apoyan a quienes defienden el aborto por razones electorales tirando por la borda el respeto a la vida de quienes todavía no han visto la luz del día?

El aborto en Estados Unidos

En Estados Unidos desde 1973 hasta ahora 2022, se había mantenido el criterio sobre el aborto, determinado por una sentencia dictada por la Corte Suprema de Justicia sobre el caso "Roe vs Wade", mediante la cual la mujer podía interrumpir el embarazo en cualquier parte del territorio nacional, es decir que ese derecho de la mujer de abortar era aplicable a nivel federal.

Ese criterio se fundamentó en que la mujer embarazada, tiene un derecho constitucional a interrumpir el embarazo, como consecuencia de sus derechos de libertad, igualdad e intimidad.

En sentencia de la Corte Suprema de Justicia de fecha Junio 24, 2022 se revocó la sentencia anterior mediante la cual la libertad que tenía la mujer de abortar quedó sin efecto: y, dejó que los estados miembros de la Unión, actuando con la Autonomía que tienen conforme a la forma de Estado Federal, decidan si permiten o no el aborto. Esta decisión se basa en que la Constitución de los Estados Unidos no contempla expresamente el derecho de la mujer de abortar libremente.

La Enmienda XIV relativa al debido proceso, que permite poner límites a la actividad legislativa cuando afecta a "la vida, la libertad o la propiedad" no se refiere en forma alguna a esa libertad de la mujer de abortar.

Proyección del Aborto en el Estado de Florida

No hay duda que la nueva legislación a implantarse relativa al Aborto en el estado de Florida tiende a eliminar en el futuro la interrupción voluntaria del embarazo mediante el aborto, salvo en los casos en que la mujer corra un peligro inminente o el feto presente malformaciones no corregibles después del parto.

Ron De Santis, Gobernador del estado de Florida, en una reunión en la ciudad de Kissimmee, refiriéndose a la ley de aborto manifestó que ese instrumento legal a implantarse definitivamente tiende a defender los que no pueden defenderse". Evidentemente que el "ser "gestado en el vientre de la mujer no puede en forma alguna defenderse por sí solo, la salvación está en manos de terceros que le protejan e impidan interrumpir su crecimiento.

Para quienes defienden el aborto y rechazan las medidas a adoptarse en la nueva ley, el tiempo es demasiado corto para que la mayoría de las mujeres detecten su embarazo y superen las barreras existentes para acceder al aborto.

Estimo que un programa educativo bien estructurado por un grupo de educadores, médicos, psicólogos, padres y personas relacionadas con la salud mental de jovencitas y varones debería dar los mejores resultados, enseñando todo lo relativo a la vida sexual, especialmente en esa edad de la pubertad, donde hasta ahora se ha tendido un velo inexplicable de oscurantismo y de miedo creando una situación de "tema tabú ", que en vez de ayudar a las nuevas generaciones han hecho daño sin querer, distorsionando entre otras cosas: el sentido de la maternidad que es algo maravilloso, increíblemente hermoso; pero que no hay que dejar que el embarazo llegue cuando solo se está buscando un momento de placer. Se puede disfrutar del sexo, pero no caer en la trampa de un embarazo no querido. Una buena orientación permitirá a la jovencita evitar y no pretender curar con un aborto una situación no deseada.

Lo mismo pasa con los varones que no han recibido plenamente de sus padres ni maestros la educación sexual necesaria y procrean hijos para dejarlos desamparados e ignorados sin ningún tipo de apoyo material y menos espiritual.

El aborto en España

España es quizás el país europeo que avanza con mayor rapidez en implementar el aborto sin mayores restricciones. Este tema estuvo regulado por la Ley Orgánica de Salud Sexual y Reproductiva y de la Interrupción Voluntaria del Embarazo de 2010, hasta el 28 de febrero de 2023, oportunidad en que la misma fue modificada, para hacer ajustes más agresivos y dar mayor oportunidad de abortar a las mujeres que reclamaban mayor libertad de acción sobre su cuerpo.

No hay duda de que a pesar de estos avances para quienes ven con buenos ojos la eliminación de algunas barreras previstas en las Ley, la situación no es igual para todos, por cuanto existen grupos de personas de diversos niveles educacionales que están contrarios a la flexibilidad que ofrece la ley para el aborto.

Esa flexibilidad de la Ley se nota en que ahora las mujeres de las edades de 16 y 17 años no requieren para abortar del permiso de sus padres o representantes. Además, se eliminan los tres días de reflexión obligatoria para reafirmar su decisión de abortar y en fin otros aspectos que facilitan a las embarazadas tomar la decisión de abortar recurriendo a hospitales cercanos a su residencia, etc.

CAPITULO IV

~ OTROS FLAGELOS ACTUALES QUE AFECTAN A LA SOCIEDAD ~

Hay una variedad de factores que presentan un denominador común en los distintos países del mundo que aterra a quienes se detienen a observar como se tiñen de sangre los distintos estratos sociales fundamentalmente en aquellos países que no han tenido un crecimiento económico para atender las demandas que las comunidades exigen para satisfacer sus reclamos en materia educacional así como en salud, seguridad personal, vivienda, al igual que los servicios públicos que cada día son mas deficientes y que obviamente enrarecen el carácter de las familias y desajustan el equilibrio emocional de quienes tienen el deber de alimentar a sus hijos. Este es el cuadro que podríamos llamar dantesco el no tener por semanas principalmente en las grandes ciudades el servicio de agua, de luz, ni de combustible para movilizarse a los centros de trabajo, asimismo la escases de empleo y el hambre ha producido diversas variantes de descomposición en los países donde se ha entronizado los regímenes dictatoriales y otros que sin tener gobiernos de esa naturaleza , el pueblo padece los rigores de malas administraciones que subsisten para beneficio personal de los gobernantes y allegados sin importarles el sufrimiento de las clases menos favorecidas que día tras día obscurece el horizonte de la esperanza.

La Emigración y el costo de vidas (muertes, violaciones, atracos, engaños desprecio a la vida humana etc.)

Una variante de la descomposición social, económica y política que, en su mayoría, viven los pueblos de América del Sur y Centro-América es la "Emigración" fundamentalmente hacia el Norte del Continente, buscando el "sueño americano" que les permita vivir en un régimen de libertad, donde se pueda trabajar y educar a sus hijos sin tener que arrastrar el lastre de una enseñanza malsana cargada de doctrinas interesadas para perpetuarse en el poder. La falta de centros de trabajo, tanto en el campo como en las ciudades crea el desaliento en los jóvenes y los mayores para permanecer en sus países de origen y el futuro de un cambio radical hacia la democracia y el progreso se ven remotos, de ahí que las reservas académicas, técnicas y científicas, entre otras tantas que han tenido un costo económico para tenerlas y emplearlas para sus desarrollos se han escapado a otros países ,tales como médicos , enfermeros, ingenieros, expertos en materia petrolera y qué decimos de los inversionistas? Ni nacionales de esos países, ni extranjeros mucho menos, se atreven a invertir, ni en el campo, ni en las industrias, ni en nada, por lo frágil e inseguro de hacerlo, producto de la desconfianza ante regímenes destructores de todo lo que sirve.

El éxodo de las migraciones de familias desde Venezuela pasando por Centroamérica han dejado huellas dolorosas causadas por mercenarios, coyotes y arquetipos del dolor humano. Muchas han sido victimas de asesinatos, violaciones, dejando su sangre de patriotas por llegar a una meta ansiada de liberación y que en muchos casos la suerte no les favorece.

Detenerse un poco sobre el Parque Nacional Darién, "Tapón" o "Infierno Verde", es obligante hacerlo cuando se quiere destacar los horrores que han vivido las personas que pretenden cruzarlo.

Su ubicación está en Panamá, en la frontera con Colombia y se caracteriza por ser una zona selvática, pantanosa, llena de animales salvajes, insectos y aguas insalubres que constituyen factores de riesgo de alto grado pero que sin embargo es un reservorio vegetal y animal para la vida del hemisferio.

En el año de 1981, como señala Wikipedia La Enciclopedia libre "el parque nacional Darién fue declarado por la UNESCO como Sitio del Patrimonio Mundial y en 1982 lo reconoció como Reserva de Biosfera"

Hablar sobre Darién o como otros lo llaman Tapón, porque obstruye la continuación de la carretera panamericana, es hablar del obstáculo mayor que afrontan los emigrantes que quieren escapar pasando por Colombia con dirección al norte buscando sacudirse el peso de las penurias, atropellos de los gobiernos que desprecian la vida de sus gobernados y someten a ellos a todas las penurias inimaginables.

Los medios de comunicación recogen a diario las penurias de las multitudes de personas: padres con sus hijos, mujeres embarazadas, niños de muy corta edad, bebés y personas no solo de del hemisferio sur y del centro américa sino también haitianos, cubanos e incluso asiáticos van todos juntos compartiendo problemas para llegar a la frontera sur de Estados Unidos, donde esperan impacientes que se abran las puertas de la liberación para alcanzar los sueños dorados de la libertad.

¿El por que de esta narrativa de la emigración?

Miles de personas en caravana se ***acercan al Muro americano en busca de libertad y trabajo.*** Por el paso de esas travesías muchos se han quedado en el camino para siempre, y; otros vivirán por el resto de sus vidas con el trauma del "escape de sus pueblos de origen".

Llegar hasta el muro hecho por Estados Unidos en la parte SUR, limitando con México, no garantiza casi nada: unos son deportados, otros esperan que la clemencia divina toque el corazón de quienes pueden resolver sus problemas.

Por ahora NOSOTROS ABORDAMOS ESTE TEMA DE LA INMIGRACIÓN EN ESTE TRABAJO de una manera general sin tomar en cuenta las diferentes aristas que el mismo presenta para su estudio tomando en consideración una pluralidad de factores: entre otros no sólo donde se aspira llegar, sino también analizar el por que tantos hombres y mujeres con niños escapan o dejan sus países de origen. Hay que tomar en cuenta las responsabilidades que involucra la emigración y entender que en un solo país no debe recaer la solución del problema. Implementar normas regulatorias por parte de quienes dan cabida a emigrantes tiene una lógica explicación para seleccionar las personas y evitar que delincuentes tomen ventaja en esas libertades de inclusión. Además, dar cabida a quienes huyen buscando un ambiente deslastrado de los males que asfixian sus patrias de origen, es algo importante que debe tomarse en cuenta por los estados recipiendarios de emigrantes de ver y analizar cual sería el costo social y económico para darles la atención necesaria sin comprometer el status de sus nacionales.

No abordamos de manera particular el tema DE LA INMIGRACIÓN en este Ensayo por que entendemos que debemos hacerlo por separado y analizar con amplitud los graves problemas que viven los pueblos emigrantes; y creemos que al hacerlo debemos tratarlo por separado. ¿Nos preguntamos por qué se emigra masivamente? ¿Por qué casi de siete millones de venezolanos han dejado el país desde que el gobierno Chavista se entronizó y destruyó a Venezuela? ¿Por qué, en Nicaragua, Cuba, Haití y otros habitantes de otros países salen a diario de sus territorios buscando democracia, libertad, trabajo, asistencia médica y educación para sus hijos?

Las drogas. Los carteles. Las mafias. Las masacres

El tema sobre las drogas al igual que la migración lo tratamos de una manera general en el sentido de destacar como la vida de los seres humanos en sus diversas etapas se ve afectada fundamentalmente en las ultimas décadas en la mayoría de los países del mundo, poniendo fuera de la sociedad a jóvenes que caen en las garras de quienes comercializan esas substancias que producen " efectos recreativos" y de aparente bienestar, y en otros producen reacciones contrarias ,tales como letargos, depresión, abandono en lo espiritual y personal, agresividad y confusión en el comportamiento cotidiano, muchas veces dejando de lado sus quehaceres, estudios, responsabilidades familiares y al final convirtiéndose en "drogadictos" que en la mayoría de los casos salir de ese laberinto resulta una odisea casi infranqueable.

Wikipedia. La Enciclopedia Libre, en su pagina Web, reproduce una definición de la Organización Mundial de la Salud sobre la Droga, según la cual es un 'termino **de uso variado que en medicina se refiere a toda sustancia con potencial para prevenir o curar una enfermedad". Se agrega en dicho estudio que "en leguaje coloquial en español, el término suele referirse concretamente a las sustancias psicoactivas y, a menudo, de forma aun mas concreta, a las drogas ilegales**."

En efecto, en este trabajo se concreta a analizar la incidencia que tiene en la sociedad ciertas substancias, catalogadas como ilegales y perjudiciales al ser humano y que como indicamos mas adelante generan para quienes están en el negocio de las drogas ingentes beneficios económicos.

El estado a través de organizaciones creadas para combatir este flagelo, como las instituciones religiosas y otras estructuradas por entes de la sociedad civil, han sido insuficientes para detener los avances sobre la prevención, tráfico y consumo de drogas. Los recursos económicos que tiene los Carteles, para impulsar la producción, distribución y consumo de esas sustancias, ponen de manifiesto el esfuerzo fallido de esas instituciones que pretender salvar a la humanidad y decimos esto porque muchos de los crímenes, masacres, y otra cantidad de delitos conexos tiene su punto de partida en la droga.

La mayoría de los estudios realizados sobre las drogas indican que el alcohol y la nicotina son las mas consumidas en el mundo y son en la actualidad catalogadas como legales aun cuando en algún tiempo se consideraron ilegales, como sucedió en Estados Unidos con la llamada "Ley Seca," que tuvo su fundamento, en la Enmienda Décima Octava de la Constitución, que prohibía fabricar, vender, transportar o importar bebidas alcohólicas y estuvo vigente entre el 17 de enero de 1920 y 6 de septiembre de 1933. Esta prohibición quedo revocada por le Enmienda XXI de 1933.

Son diferentes los tipos de Drogas ilegales en cuanto a su origen y en cuanto a los efectos que ellas producen en el organismo del ser humano. Unas vienen de la naturaleza como la coca y la marihuana, otras son el producto de procesos de laboratorios, como es el caso de la morfina, la heroína y otros tantas que modifican, cambian y destruyen progresivamente la salud del consumidor o dependiente y ponen en riesgo a terceros por recibir acciones irracionales de quienes cayeron en el flagelo de los estupefacientes.

El Instituto Nacional on Drug Abuse, en la pagina Web del National Institutes of Health señala que "Las personas adictas a menudo tienen uno mas problemas de salud relacionados con las drogas, que pueden incluir enfermedades pulmonares o cardiacas, embolias, cáncer, problemas de salud mental..."

Los Carteles. Las Mafias

Son organizaciones de delincuentes por lo regular de familiares, que bajo la conducción de un Capo o Jefe trafican con drogas al margen de la ley y que algunas veces se vinculan entre si para obtener mejores resultados en sus acciones ilícitas. Es tal el grado de expansión y control de áreas de los territorios donde actúan que algunas veces se enfrentan para destruirse e imponerse, lo cual genera masacres entre ellos.

El comercio de tales productos produce inmensos beneficios económicos al punto de que hacen grandes inversiones, tales como túneles, naves (acuáticas y aéreas) como también laboratorios muy sofisticados y adquieren instrumentos de última generación para evadir los controles del estado, aparte de que se ingenian para despistar y establecer nuevas rutas nacionales e internacionales que a los organismos especializados en tareas de aprensión les resulta difícil obtener resultados que permitan eliminar por completo la producción, y contrabando de esas drogas.

Como se afirma antes el **Carte**l es una organización criminal que tiene como fin primordial el negocio de la producción y distribución de las drogas , mientras que la **MAFIA**, es también una organización criminal y se dispone a realizar actos ilegales de diversa índole con el mismo estilo y tácticas del Cartel y tienen un denominador común de acción criminal; pero lo que ocurre es que en Norteamérica, Europa y Asia a esas organizaciones se les llama Cartel, mientras que en el resto del mundo se les llaman Mafias.

En Hispanoamérica, Colombia y México son los países que tienen mayor número de Carteles y en el primero de los nombrados la producción de drogas es mayor. Existen grandes cultivos de coca y marihuana próximos a zonas selváticas y la dificultad de exterminio es mayor. Los campesinos viven de esas siembras y los guerrilleros pululan por esas tierras donde las autoridades encuentran todo tipo de dificultad para control y dominio.

La lucha ha sido incansable, Colombia ha extraditado a Estados Unidos varios capos donde actualmente cumplen condenas; pero sin embargo quienes lo reemplazan siguen sin desmayo en su afán de delinquir.

Los medios de comunicación señalan que en México los Carteles compran fundamentalmente a Colombia las drogas y se encargan de venderlas a Estados Unidos pese a los grandes controles estadales que se han venido instrumentando con el correr del tiempo.

Entendemos que no solo al Estado le corresponde realizar una labor de prevención, sino también a los padres de familia de instruir a sus hijos para armar una coraza de resistencia ante la tentación de curiosidad que tienen los jóvenes de saber lo que la droga es y que se siente al ingerirla, y naturalmente prepararlos para resistir el ofrecimiento de terceros que se valen de subterfugios para la captación. La lucha no es de un solo ente o individualidad sino de todos para ganar la batalla del bien contra el mal.

Con relación a las "**MASACRES**" ocurren por lo regular por enfrentamiento de Carteles, donde se busca el predominio de uno sobre el otro, donde se disputan territorios, influencia y de todo tipo de rivalidades.

Es asombroso la cantidad de personas que fallecen por esos motivos y México y Colombia fundamentalmente han teñido de sangre sus territorios por esas causas. Los integrantes de esas organizaciones criminales carecen de toda sensibilidad humana y a ellos no les importa el mal generado por las drogas ni las personas que caen bajo el fuego de sus bandas.

Los medios de comunicación no solo nacionales sino también los internacionales dan referencias particulares de tales atrocidades.

Los medios de comunicación y la influencia negativa en los niños y adolescentes

No hay duda de que los niños en la época actual y debido al desarrollo tecnológico que vive el mundo en los últimos tiempos, están propensos a recibir influencias propagandistas, de material pornográfico, de alimentos generadores de trastornos de salud, como también de violencia, y en muchos casos de mal comportamiento en el hogar y en las mismas escuelas donde estudian.

Normalmente se observa que los niños permanecen en sus habitaciones despiertos hasta altas horas de la noche, no precisamente estudiando, sino navegando en internet, viendo películas de acción y en muchos casos siguiendo un personaje que a la postre tratan de imitar. En otras ocasiones se dejan captar por personajes que les ofrecen videos de diversa naturaleza afectando los principios y valores que se suponen reciben en casa. Los teléfonos y las tabletas son instrumentos con que mayor facilidad cuentan los niños para alterar la rutina programada por los padres.

La adolescencia es quizás la edad mas riesgosa que tiene el individuo en su formación porque afloran en él una serie cambios en la percepción de las cosas y en la manera de ver como se solucionan los asuntos, creyéndose que son autosuficientes para enfrentar la vida. Muchas veces se revelan a sus padres o representantes y en algunos casos comienzan a probar las drogas para ver si es verdad que ellas proporcionan felicidad y sosiego.

Las Instituciones que tienen como meta la protección de los niños y adolescentes coinciden en destacar que las películas vistas en televisión donde se exhiben actos violentos, muertes y otros semejantes, pueden distorsionar la mente, creando confusiones que puede desencadenar en acciones agresivas afectando el futuro de ellos y causando actos lamentables e irreversibles para otros.

No hay duda de que los padres de hoy en día han de estar más vigilantes sobre la educación de los menores y estar mas informados sobre el desarrollo psíquico de los hijos.

ANEXO 1

PACTO DE SAN JOSÉ*

Convención Americana sobre Derechos Humanos (Pacto de San José) (*Gaceta Oficial* No. 9460 del 11 de febrero de 1978)

La Convención Americana sobre Derechos Humanos (Pacto de San José de Costa Rica, del 22 de Noviembre del 1969), resalta que dentro de un estado de derecho en el cual se rigen las instituciones democráticas, la garantía de derechos de los seres humanos se basa en el establecimiento de condiciones básicas necesarias para su sustentación (alimentación, salud, libertad de organización, de participación política, entre otros).

Convención Americana Sobre Derechos Humanos "Pacto de San José"

Suscrita en la Conferencia Especializada Interamericana sobre Derechos Humanos San José, Costa Rica 7 al 22 de noviembre de 1969

---

* Se transcribe solo desde el comienzo hasta el Articulo 3 relacionado a los temas tratados en este ensayo.

Adoptada en San José, Costa Rica el 22 de noviembre de 1969 Entrada en Vigor: 18 de julio de 1978, conforme al Artículo 74.2 de la Convención

Depositario:

Secretaría General OEA (Instrumento Original y Ratificaciones) Serie sobre Tratados OEA No 36 - Reg. ONU 27/08/1979 No 17955

PREÁMBULO

Los Estados Americanos signatarios de la presente Convención,

Reafirmando su propósito de consolidar en este Continente, dentro del cuadro de las instituciones democráticas, un régimen de libertad personal y de justicia social, fundado en el respeto de los derechos esenciales del hombre;

Reconociendo que los derechos esenciales del hombre no nacen del hecho de ser nacional de determinado Estado, sino que tienen como fundamento los atributos de la persona humana, razón por la cual justifican una protección internacional, de naturaleza convencional coadyuvante o complementaria de la que ofrece el derecho interno de los Estados americanos;

Considerando que estos principios han sido consagrados en la Carta de la Organización de los Estados Americanos, en la Declaración Americana de los Derechos y Deberes del Hombre y en la Declaración Universal de los Derechos Humanos que han sido reafirmados y desarrollados en otros instrumentos internacionales, tanto de ámbito universal como regional;

Reiterando que, con arreglo a la Declaración Universal de los Derechos Humanos, solo puede realizarse el ideal del ser humano libre, exento del temor y de la miseria, si se crean condiciones que permitan a cada persona gozar de sus derechos económicos, sociales y culturales, tanto como de sus derechos civiles y políticos, y

Considerando que la Tercera Conferencia Interamericana Extraordinaria (Buenos Aires, 1967) aprobó la incorporación a la propia Carta de la Organización de normas más amplias sobre derechos económicos, sociales y educacionales y resolvió que una convención interamericana sobre derechos humanos determinara la estructura, competencia y procedimiento de los órganos encargados de esa materia,

Han convenido en lo siguiente:

PARTE I

DEBERES DE LOS ESTADOS Y DERECHOS PROTEGIDOS

CAPÍTULO I

ENUMERACIÓN DE DEBERES

Artículo 1. Obligación de Respetar los Derechos

Los Estados Parte en esta Convención se comprometen a respetar los derechos y libertades reconocidos en ella y a garantizar su libre y pleno ejercicio a toda persona que esté sujeta a su jurisdicción, sin discriminación alguna por motivos de raza, color, sexo, idioma, religión, opiniones políticas o de cualquier otra índole, origen nacional o social, posición económica, nacimiento o cualquier otra condición social.

Para los efectos de esta Convención, persona es todo ser humano.

Artículo 2. Deber de Adoptar Disposiciones de Derecho Interno

Si el ejercicio de los derechos y libertades mencionados en el artículo 1 no estuviere ya garantizado por disposiciones legislativas o de otro carácter, los Estados Partes se comprometen a adoptar, con arreglo a sus procedimientos constitucionales y a las disposiciones de esta Convención, las medidas legislativas o de otro carácter que fueren necesarias para hacer efectivos tales derechos y libertades.

CAPÍTULO II

DERECHOS CIVILES Y POLÍTICOS

Artículo 3. Derecho al Reconocimiento de la Personalidad Jurídica

Toda persona tiene derecho al reconocimiento de su personalidad jurídico.

Artículo 4. Derecho a la Vida

Toda persona tiene derecho a que se respete su vida. Este derecho estará protegido por la ley y, en general, a partir del momento de la concepción. Nadie puede ser privado de la vida arbitrariamente.

En los países que no han abolido la pena de muerte, ésta sólo podrá imponerse por los delitos más graves, en cumplimiento de sentencia ejecutoriada de tribunal competente y de conformidad con una ley que establezca tal pena, dictada con anterioridad a la comisión del delito. Tampoco se extenderá su aplicación a delitos a los cuales no se la aplique actualmente.

No se establecerá la pena de muerte en los Estados que la han abolido.

En ningún caso se puede aplicar la pena de muerte por delitos políticos ni comunes conexos con los políticos.

No se impondrá la pena de muerte a personas que, en el momento de la comisión del delito, tuvieren menos de dieciocho años de edad o más de setenta, ni se le aplicará a las mujeres en estado de gravidez.

Toda persona condenada a muerte tiene derecho a solicitar la amnistía, el indulto o la conmutación de la pena, los cuales podrán ser concedidos en todos los casos. No se puede aplicar la pena de muerte mientras la solicitud esté pendiente de decisión ante autoridad competente.

ANEXO 2

CONSTITUCIÓN DE LA REPUBLICA BOLIVARIANA DE VENEZUELA*

GACETA OFICIAL EXTRAORDINARIA No. 36.860 DE FECHA 30 DE DICIEMBRE DE 1999

Capítulo III

De los Derechos Civiles

Artículo 43. El derecho a la vida es inviolable. Ninguna ley podrá establecer la pena de muerte, ni autoridad alguna aplicarla. El Estado protegerá la vida de las personas que se encuentren privadas de su libertad, prestando el servicio militar o civil, o sometidas a su autoridad en cualquier otra forma.

Artículo 44. La libertad personal es inviolable, en consecuencia:

1. Ninguna persona puede ser arrestada o detenida sino en virtud de una orden judicial, a menos que sea sorprendida in fraganti. En este caso será llevada ante una autoridad judicial en un tiempo no mayor de cuarenta y ocho horas a partir del

---

* Se transcribe de la Constitución de la Republica de Venezuela, solo los Artículos que se mencionan en el texto de este ensayo o que guardan estrecha relación con los puntos tratados.

momento de la detención. Será juzgada en libertad, excepto por las razones determinadas por la ley y apreciadas por el juez o jueza en cada caso. La constitución de caución exigida por la ley para conceder la libertad de la persona detenida no causará impuesto alguno.

2. Toda persona detenida tiene derecho a comunicarse de inmediato con sus familiares, abogado o abogada o persona de su confianza, y éstos o éstas, a su vez, tienen el derecho a ser informados o informadas sobre el lugar donde se encuentra la persona detenida, a ser notificados o notificadas inmediatamente de los motivos de la detención y a que dejen constancia escrita en el expediente sobre el estado físico y psíquico de la persona detenida, ya sea por sí mismos o por sí mismas, o con el auxilio de especialistas. La autoridad competente llevará un registro público de toda detención realizada, que comprenda la identidad de la persona detenida, lugar, hora, condiciones y funcionarios o funcionarias que la practicaron. Respecto a la detención de extranjeros o extranjeras se observará, además, la notificación consular prevista en los tratados internacionales sobre la materia.

3. La pena no puede trascender de la persona condenada. No habrá condenas a penas perpetuas o infamantes. Las penas privativas de la libertad no excederán de treinta años.

4. Toda autoridad que ejecute medidas privativas de la libertad estará obligada a identificarse. 5. Ninguna persona continuará en detención después de dictada orden de excarcelación por la autoridad competente o una vez cumplida la pena impuesta.

Artículo 45. Se prohíbe a la autoridad pública, sea civil o militar, aun en estado de emergencia, excepción o restricción de garantías, practicar, permitir o tolerar la desaparición forzada de personas.

El funcionario o funcionaria que reciba orden o instrucción para practicarla tiene la obligación de no obedecerla y denunciarla a las autoridades competentes. Los autores o autoras intelectuales y materiales, cómplices y encubridores o encubridoras del delito de desaparición forzada de personas, así como la tentativa de comisión del mismo, serán sancionados o sancionadas de conformidad con la ley.

Artículo 46. Toda persona tiene derecho a que se respete su integridad física, psíquica y moral, en consecuencia:

1. Ninguna persona puede ser sometida a penas, torturas o tratos crueles, inhumanos o degradantes. Toda víctima de tortura o trato cruel, inhumano o degradante practicado o tolerado por parte de agentes del Estado tiene derecho a la rehabilitación.

2. Toda persona privada de libertad será tratada con el respeto debido a la dignidad inherente al ser humano.

3. Ninguna persona será sometida sin su libre consentimiento a experimentos científicos, o a exámenes médicos o de laboratorio, excepto cuando se encontrare en peligro su vida o por otras circunstancias que determine la ley.

4. Todo funcionario público o funcionaria pública que, en razón de su cargo, infiera maltratos o sufrimientos físicos o mentales a cualquier persona, o que instigue o tolere este tipo de tratos, será sancionado o sancionada de acuerdo con la ley.

ANEXO 3

LEY ORGÁNICA POR LA QUE SE MODIFICA LA LEY ORGÁNICA 2/2010, 3 DE MARZO, DE SALUD SEXUAL Y REPRODUCTIVA Y DE LA INTERRUPCIÓN VOLUNTARIA DEL EMBARAZO, ESPAÑA.*

Once. Se añade un nuevo artículo 13 bis, con el siguiente tenor literal:

"**Artículo 13 bis. Edad**.

1. Las mujeres podrán interrumpir voluntariamente su embarazo a partir de los 16 años, sin necesidad del consentimiento de sus representantes legales.

2. En el caso de las menores de 16 años, será de aplicación el régimen previsto en el artículo 9.3.c) de la Ley 41/2002, de 14 de noviembre.

En el supuesto de las menores de 16 años embarazadas en situación de desamparo que, en aplicación del artículo 9.3.c) de la Ley 41/2002, de 14 de noviembre, requieran consentimiento

---

* Artículos relacionados con el aborto previstos en la Nueva Ley Vigente en España.

por representación, éste podrá darse por parte de la Entidad Pública que haya asumido la tutela en virtud del artículo 172.1 del Código Civil.

En el supuesto de las menores de 16 años embarazadas en situación de desamparo cuya tutela no haya sido aún asumida por la Entidad Pública a la que, en el respectivo territorio, esté encomendada la protección de los menores, que, en aplicación del artículo el artículo 9.3.c) de la Ley 41/2002, de 14 de noviembre, requirieran consentimiento por representación, será de aplicación lo previsto en el artículo 172.4 del Código Civil, pudiendo la Entidad Pública que asuma la guarda provisional dar el consentimiento por representación para la interrupción voluntaria del embarazo, a fin de salvaguardar el derecho de la menor a la misma.

En caso de discrepancia entre la menor y los llamados a prestar el consentimiento por representación, los conflictos se resolverán conforme a lo dispuesto en la legislación civil por la autoridad judicial, debiendo nombrar a la menor un defensor judicial en el seno del procedimiento y con intervención del Ministerio Fiscal. El procedimiento tendrá carácter urgente en atención a lo dispuesto en el artículo 19.6 de esta ley orgánica."

Doce. Se modifica el artículo 14, que queda redactado como sigue:

"**Artículo 14. Interrupción del embarazo dentro de las primeras catorce semanas de gestación**.

Podrá interrumpirse el embarazo dentro de las primeras catorce semanas de gestación a petición de la mujer embarazada."

Trece. Se modifica el artículo 16, que queda redactado como sigue:

"**Artículo 16. Comité clínico**.

1. El Comité clínico al que se refiere el artículo anterior estará formado por un equipo pluridisciplinar integrado por dos integrantes del personal médico especialistas en gineco-

logía y obstetricia o expertos en diagnóstico prenatal y un pediatra. La mujer podrá elegir uno de estos especialistas. Ninguno de los miembros del Comité podrá formar parte del Registro de objetores de la interrupción voluntaria del embarazo ni haber formado parte en los últimos tres años.

2. Confirmado el diagnóstico por el Comité, la mujer decidirá sobre la intervención.

3. En cada Comunidad Autónoma habrá, al menos, un Comité clínico en un centro de la red sanitaria pública. Los miembros, titulares y suplentes, designados por las autoridades sanitarias competentes, lo serán por un plazo no inferior a un año. La designación deberá hacerse pública en los diarios oficiales de las respectivas comunidades autónomas.

4. Las especificidades del funcionamiento del Comité clínico se determinarán reglamentariamente.»

Catorce. Se modifica el artículo 17, que queda redactado como sigue:

"**Artículo 17. Información vinculada a la interrupción voluntaria del embarazo**.

1. Todas las mujeres que manifiesten su intención de someterse a una interrupción voluntaria del embarazo recibirán información del personal sanitario sobre los distintos métodos de interrupción del embarazo, quirúrgico y farmacológico, las condiciones para la interrupción previstas en esta ley orgánica, los centros públicos y acreditados a los que se podrán dirigir y los trámites para acceder a la prestación, así como las condiciones para su cobertura por el servicio público de salud correspondiente.

En el caso de procederse a la interrupción voluntaria del embarazo después de las catorce semanas de gestación por causas médicas, deberá facilitarse toda la información sobre los distintos procedimientos posibles para permitir que la mujer escoja la opción más adecuada para su caso.

2. En los casos en que las mujeres así lo requieran, y nunca como requisito para acceder a la prestación del servicio, podrán recibir información sobre una o varias de las siguientes cuestiones:

a) Datos sobre los centros disponibles para recibir información adecuada sobre anticoncepción y sexo seguro.

b) Datos sobre los centros que ofrecen asesoramiento antes y después de la interrupción del embarazo.

c) Las ayudas públicas disponibles para las mujeres embarazadas y la cobertura sanitaria durante el embarazo y el parto.

d) Los derechos laborales vinculados al embarazo y a la maternidad; las prestaciones y ayudas públicas para el cuidado y atención de los hijos; los beneficios fiscales y demás información relevante sobre incentivos y ayudas al nacimiento.

La elaboración, contenidos y formato de esta información será determinada reglamentariamente por el Gobierno, prestando especial atención a las necesidades surgidas de las situaciones de extranjería.

3. En el supuesto de interrupción del embarazo previsto en el artículo 15.b), la mujer que así lo requiera expresamente, si bien nunca como requisito para acceder a la prestación del servicio, podrá recibir información sobre los derechos, prestaciones y ayudas públicas existentes relativas al apoyo a la autonomía de las personas con alguna discapacidad, así como la red de organizaciones sociales de asistencia social a estas personas.

4. En todos los supuestos, y con carácter previo a la prestación del consentimiento, se habrá de informar a la mujer embarazada en los términos de los artículos 4 y 10 de la Ley 41/2002, de 14 de noviembre, básica reguladora de la autonomía del paciente y de derechos y obligaciones en materia de información y documentación clínica y específicamente sobre la naturaleza de cada intervención, sus riesgos y sus consecuencias.

5. La información prevista en este artículo será clara, objetiva y comprensible. En el caso de las personas con discapacidad, se proporcionará en formatos y medios accesibles, adecuados a sus necesidades y las mujeres extranjeras que no hablen castellano serán asistidas por intérprete. En aquellas comunidades autónomas en las que haya lenguas oficiales, esta atención será dispensada en cualquiera de ellas, si así lo solicitare la mujer.

Se hará saber a la mujer embarazada que dicha información podrá ser ofrecida, además, verbalmente, siempre que así se solicite. Cuando la información sea ofrecida de forma verbal, se circunscribirá siempre a los contenidos desarrollados reglamentariamente por el Gobierno.

ANEXO 4

CONSTITUCIÓN DE LOS ESTADOS UNIDOS

Nosotros, el pueblo de los Estados Unidos, con el fin de formar una Unión más perfecta, establecer la justicia, garantizar la tranquilidad nacional, atender a la defensa común, fomentar el bienestar general y asegurar los beneficios de la libertad para nosotros mismos y para nuestra posteridad, por la presente promulgamos y establecemos esta Constitución para los Estados Unidos de América.

ARTÍCULO I.

Sección 1.

Todos los poderes legislativos otorgados por esta Constitución residirán en un Congreso de los Estados Unidos, que estará conformado por un Senado y una Cámara de Representantes.

Sección 2.

La Cámara de Representantes estará compuesta de miembros elegidos cada dos años por el pueblo de los distintos estados, y los electores en cada estado deberán llenar los requisitos exigidos a los electores de la rama más numerosa de la Asamblea Legislativa de dicho estado.

No podrá ser representante ninguna persona que no haya cumplido veinticinco años de edad, que no haya sido durante siete años ciudadano de los Estados Unidos y que al tiempo de su elección no resida en el estado por el cual será elegido.

Tanto los representantes como los impuestos directos serán prorrateados entre los diversos estados [que estén integrados a esta Unión, de acuerdo a su respectivo número, el cual se determinará sumando al número total de personas libres; en el cual se incluye a los que estén

obligados a prestar servicio por determinado número de años y se excluye a los indígenas que no estén sujetos al pago de impuestos; las tres quintas partes de todas las demás personas]. La enumeración real se efectuará en el curso de los tres años siguientes a la primera reunión del Congreso de los Estados Unidos, y después en cada periodo subsiguiente de diez años, en la forma en que aquel lo dispusiere por Ley. No habrá más de un representante por cada treinta mil habitantes, pero cada estado tendrá por lo menos un representante. En tanto se realiza la enumeración, el estado de Nueva Hampshire tendrá derecho a elegir tres representantes; Massachusetts ocho; Rhode Island y las Plantaciones de Providence, uno; Connecticut cinco; Nueva York seis; Nueva Jersey cuatro; Pennsylvania ocho; Delaware uno; Maryland seis;

Virginia diez; Carolina del Norte cinco; Carolina del Sur cinco y Georgia tres.

Cuando ocurran vacantes en la representación de cualquier estado, la autoridad ejecutiva de este emitirá mandamientos de elección para cubrir tales vacantes.

La Cámara de Representantes elegirá a su presidente y a otros funcionarios; y sólo ella tendrá la facultad de iniciar procedimientos de juicio político.

Sección 3.

El Senado de los Estados Unidos estará formado por dos senadores por cada estado [elegidos por sus respectivas Asambleas Legislativas], para periodos de seis años; y cada senador tendrá derecho a un voto.

Tan pronto como se reúnan a consecuencia de la primera elección, se los dividirá en la forma más equitativa posible en tres clases. Los asientos de los senadores de la primera clase quedarán vacantes al expirar el segundo ano, los de la segunda clase cuando expire el cuarto año y los de la tercera clase al expirar el sexto año, de tal modo que cada dos años se renueve una tercera parte de ellos. [Y si se producen vacantes, por renuncia o por cualquier otra causa, mientras esté en receso la Asamblea Legislativa del estado respectivo, la autoridad ejecutiva del mismo podrá hacer nombramientos provisionales hasta la próxima sesión de la Asamblea Legislativa, la cual llenará entonces tales vacantes.]

Ninguna persona podrá ser senador si no ha cumplido treinta años de edad, si no ha sido ciudadano de los Estados Unidos durante nueve años y si, en la fecha de su elección, no es residente del estado por el cual será elegido.

El Vicepresidente de los Estados Unidos será Presidente del Senado, pero no tendrá voto, salvo en casos de empate.

El Senado elegirá a sus demás funcionarios, así como también a un Presidente pro tempore, en ausencia del Vicepresidente o cuando este desempeñe el cargo de Presidente de los Estados Unidos.

El Senado tendrá poder exclusivo para conocer de todos los juicios políticos. Cuando se reúnan para este fin, los Senadores prestarán juramento o harán la promesa de cumplir fielmente su cometido. Si se juzga al Presidente de los Estados Unidos, la sesión será presidida por el Magistrado Presidente de la Corte Suprema. Nadie podrá ser convicto sin que concurran en ello las dos terceras partes de los senadores presentes.

La sentencia en casos de juicio político no podrá exceder de la destitución del cargo y la inhabilitación para obtener y desempeñar cualquier cargo de honor, de confianza o con retribución, en el Gobierno de los Estados Unidos; pero el funcionario convicto quedará, no obstante, sujeto a ser acusado, juzgado, sentenciado y castigado de acuerdo a la ley.

Sección 4.

La Asamblea Legislativa de cada estado determinará la fecha, lugar y manera de celebrar las elecciones de senadores y representantes; empero, el Congreso podrá aprobar o modificar en cualquier momento tales disposiciones mediante la legislación adecuada [salvo en lo que atañe al lugar donde se habrá de elegir a los senadores].

El Congreso se reunirá por lo menos una vez al año [y tal sesión comenzará el primer lunes de diciembre], a no ser que por ley se señale otro día.

Sección 5.

Cada Cámara será el único juez de las elecciones, las reelecciones y la capacidad de sus propios miembros, y la mayoría de cada una constituirá el quórum requerido para realizar sus trabajos; empero, un número menor podrá dar por terminadas las sesiones de todos los días y podrá ser autorizado para demandar la asistencia de los miembros ausentes, en la forma y bajo las penalizaciones que cada Cámara determine.

Cada Cámara adoptará su reglamento, podrá castigar a sus miembros en caso de conducta impropia y, con la anuencia de dos terceras partes de los presentes, podrá expulsar a un miembro.

Cada Cámara tendrá un diario de sus sesiones y lo publicará en forma periódica, con excepción de las partes que, a su Juicio, deban mantenerse en secreto; y siempre que así lo desee la quinta parte de los miembros presentes, se harán constar en dicho diario los votos afirmativos y negativos de los miembros de una u otra Cámara sobre cualquier asunto.

Mientras el Congreso esté en sesión, ninguna Cámara podrá levantar sus sesiones por más de tres días, sin el consentimiento de la otra, ni reunirse en otro lugar que no sea aquél en el que las dos Cámaras estén laborando.

Sección 6.

Los senadores y los representantes recibirán por sus servicios una remuneración fijada por la ley, que se pagará con fondos de la Tesorería de los Estados Unidos. Tanto cuando estén presentes en las sesiones de sus respectivas Cámaras, como en el trayecto hacia ellas o al regresar de las mismas, ellos no podrán ser arrestados, salvo en casos de traición, delitos graves o alteración de la paz; así mismo, no podrán ser interpelados fuera de la Cámara por ninguno de sus discursos o debates pronunciados en ella.

Ningún senador o representante, mientras dure el periodo para el cual fue elegido, será nombrado para ningún cargo civil bajo la autoridad de los Estados Unidos, que haya sido creado o cuyos emolumentos hayan sido acrecentados durante ese tiempo; y ninguna persona que desempeñe un cargo bajo la autoridad de los Estados Unidos podrá ser miembro de ninguna de las Cámaras mientras continúe en tal cargo.

Sección 7.

Todo proyecto de ley para recaudar contribuciones se originará en la Cámara de Representantes; no obstante, el Senado podrá proponer enmiendas o concurrir con ellas, como ocurre con cualquier otro proyecto.

Todo proyecto que haya sido aprobado por la Cámara de Representantes y el Senado será sometido al Presidente de los Estados Unidos antes de que se convierta en ley. Si el Presidente lo aprueba, lo firmará. De lo contrario, lo devolverá con sus objeciones a la Cámara donde se originó el proyecto, la cual asentará en su diario las objeciones en forma detallada y procederá a reconsiderarlo. Si al cabo de la reconsideración dos terceras partes de dicha Cámara convienen en aprobar el proyecto, éste será enviado, junto con las objeciones, a la otra Cámara, la cual también lo reconsiderará y si resulta aprobado por las dos terceras partes de sus miembros, se convertirá en ley. Sin embargo, en todos esos casos la votación en cada Cámara será nominal y los votos en favor y en contra del proyecto, junto con los nombres de los votantes, serán asentados en el diario de cada una de ellas. Si el Presidente no devuelve un proyecto de ley en un plazo de diez días (sin contar los domingos) a partir de la fecha que le fue presentado, tal proyecto se convertirá en ley de la misma manera que si lo hubiese firmado, a no ser que el Congreso, por el hecho de estar en receso, impida su devolución. En ese caso, el proyecto no se convertirá en ley.

Toda orden, resolución o votación que requiera la concurrencia del Senado y de la Cámara de Representantes (a menos que se trate de levantar la sesión) se presentará al Presidente de los Estados Unidos, y antes de que entre en vigor tendrá que recibir la aprobación de éste o, en caso de ser desaprobada por él, dos terceras partes del Senado y de la Cámara de Representantes la tendrán que aprobar de nuevo, conforme a las reglas y restricciones prescritas para proyectos de ley.

Sección 8.

El Congreso tendrá facultades para aplicar y recaudar impuestos, derechos, contribuciones y alcabalas a fin de pagar las deudas y proveer para la defensa común y el bienestar general de los Estados Unidos; pero todos los derechos, contribuciones y alcabalas deberán ser uniformes para toda la Nación; Para tomar dinero en préstamo con cargo al crédito de los Estados Unidos;

Para reglamentar el Comercio con naciones extranjeras, así como entre los diversos estados y con las tribus indígenas;

Para establecer una regla uniforme de naturalización y leyes uniformes de quiebras para toda la Nación;

Para acuñar moneda, reglamentar el valor de ésta y de la moneda extranjera, y para fijar la norma de pesas y medidas;

Para disponer las sanciones por la falsificación de los valores y la moneda circulante de los Estados Unidos;

Para establecer oficinas de correos y caminos postales;

Para fomentar el progreso de la ciencia y de las artes útiles, garantizando a los autores e inventores el derecho exclusivo a sus respectivos escritos y descubrimientos por tiempo limitado;

Para constituir tribunales inferiores a la Corte Suprema;

Para definir y castigar la piratería y los delitos graves cometidos en alta mar, así como las infracciones al Derecho Internacional;

Para declarar la guerra, otorgar patentes de corso y represalia y establecer reglas en materia de capturas en mar y en tierra;

Para reclutar y patrocinar ejércitos; pero ninguna asignación de fondos para este fin podrá abarcar un periodo mayor de dos años;

Para disponer y mantener una Marina de Guerra;

Para establecer reglas para el gobierno y la reglamentación de las fuerzas de tierra y mar;

Para convocar a la Milicia con el fin de dar cumplimiento a las leyes de la Unión, sofocar insurrecciones y repeler invasiones;

Para proceder a organizar, armar y disciplinar a la Milicia y para gobernar la parte de esta que pueda ser puesta al servicio de los Estados Unidos, reservando a los estados respectivos el nombramiento de los oficiales y la autoridad para entrenar a la Milicia de acuerdo con la disciplina que el Congreso prescriba;

Para ejercer el derecho exclusivo de legislar en todos los casos que se presenten en el Distrito (cuya superficie no será mayor de un cuadrado de diez millas) que, por cesión de algunos estados y con la aceptación del Congreso, se convierta en la sede del Gobierno de los Estados Unidos; y para ejercer la misma autoridad en todos los lugares adquiridos con el consentimiento de la Asamblea Legislativa del Estado en el cual se encuentren, con el fin de construir fuertes, polvorines, arsenales, astilleros y otras edificaciones necesarias; — Y

Para elaborar todas las leyes que sea necesario y propio tener a fin de poner en práctica las precedentes facultades, así como todas aquellas que en virtud de esta Constitución le puedan haber sido conferidas al Gobierno de los Estados Unidos o a cualquiera de los departamentos o los funcionarios del mismo.

Sección 9.

El Congreso no podrá prohibir antes del año mil ochocientos ocho la inmigración o importación de aquellas personas cuya admisión sea considerada conveniente por cualquiera de los estados hoy existentes; empero, tal importación podrá ser gravada con un impuesto o derecho que no excederá de diez dólares por cada persona.

No se suspenderá el privilegio del auto de hábeas corpus, a menos que se trate de casos de rebelión o invasión en los que la seguridad pública así lo exija.

No se aprobará ningún escrito de proscripción y confiscación ni ley ex post facto alguna.

No se aplicará ningún impuesto de capitación [u otro de tipo directo], a menos que se haga en proporción al censo o enumeración que previamente ha ordenado esta Constitución que se lleve a efecto.

No serán gravados con impuestos o derechos los artículos que sean exportados de cualquier estado.

En ningún reglamento de comercio o de la renta pública se dará preferencia a los puertos de un estado sobre los de otro; ni se podrá obligar a los barcos que se dirijan a un estado o que provengan de él, a que entren, salgan o paguen derechos en otro.

No se podrá retirar dinero del Tesoro si no es en virtud de asignaciones efectuadas conforme a la ley; además, se publicará con regularidad un estado y recuento completo de los ingresos y egresos públicos.

Ningún título nobiliario será otorgado en los Estados Unidos; y ninguna persona que desempeñe un cargo retribuido o de confianza bajo la autoridad del Gobierno podrá aceptar, sin el consentimiento del Congreso, dádiva, emolumento, cargo o título, de índole alguna, de ningún rey, príncipe o estado extranjero.

Sección 10.

Ningún estado participará en alianza, confederación o tratado alguno; otorgará patentes de corso y represalia; acuñará moneda; emitirá cartas de crédito; autorizará el pago de adeudos en otro numerario que no sea oro y plata; aprobará ningún escrito de proscripción y confiscación, ley ex post facto u otra ley que menoscabe la obligatoriedad de los contratos; ni concederá títulos nobiliarios.

Ningún estado podrá fijar impuestos o derechos sobre las importaciones o las exportaciones sin el consentimiento del Congreso, a menos que sea absolutamente necesario para dar cumplimiento a sus leyes de inspección; y el producto neto de todos los derechos e impuestos que fije cualquier estado sobre las importaciones o las exportaciones será para usufructo del Tesoro de los Estados Unidos; y todas esas leyes quedarán sujetas a la revisión e intervención del Congreso.

Ningún estado podrá, sin el consentimiento del Congreso, fijar derecho de tonelaje alguno, ni mantener tropas o barcos de guerra en tiempos de paz, ni celebrar convenios o pactos con otro estado o con una potencia extranjera, ni entrar en guerra, a menos que de hecho haya sido invadido o se vea en un peligro tan inminente que su defensa no admita demora.

ARTÍCULO II.

Sección 1.

El Poder Ejecutivo residirá en el Presidente de los Estados Unidos de América. Este desempeñará su Cargo por un término de cuatro años y su elección se realizará de la siguiente manera, junto con la del Vicepresidente, quien desempeñará su cargo durante el mismo término:

Cada Estado designará, en la forma que lo prescriba su Asamblea Legislativa, un número de electores igual al número total de senadores y representantes que le corresponda en el Congreso; pero no será nombrado elector ningún senador o representante, ni persona alguna que ocupe un cargo de confianza o con retribución bajo la autoridad de los Estados Unidos.

[Los electores se reunirán en sus respectivos estados, y mediante votación secreta elegirán a dos personas, de las cuales por lo menos una no será residente del mismo estado que ellos. Ellos mismos harán una lista de todas las personas por las que se haya votado y del número de votos que cada una haya obtenido; entonces firmarán y certificarán esa lista y la remitirán sellada a la sede del Gobierno de los Estados Unidos, dirigida al Presidente del Senado. En presencia del Senado y de la Cámara de Representantes, el Presidente del Senado abrirá todos los certificados y entonces los votos serán contados. Será Presidente la persona que obtenga el mayor número de votos si dicho número constituye mayoría frente al número total de electores designados; y si más de una persona obtiene tal mayoría y recibe el mismo número de votos, entonces la Cámara de Representantes, por votación secreta, elegirá de inmediato a una de ellas como Presidente; y si ninguna persona obtiene mayoría, entonces la susodicha Cámara elegirá de la misma manera al Presidente entre las cinco personas que aparezcan con más votos en la lista. Pero en la elección del Presidente, los votos serán emitidos por estados y la representación de cada estado tendrá derecho a un voto; para este fin, el quórum consistirá en uno o varios miembros de dos terceras partes de las representaciones de los estados, y para que haya elección será necesaria una mayoría de todos los estados. En cualquier caso, una vez elegido el Presidente la persona que haya obtenido mayor número de votos de los electores será Vicepresidente. Pero si hubiere dos o más con un número igual de votos, el Senado, por votación secreta, elegirá entre ellas al Vicepresidente.]

El Congreso podrá determinar la fecha en que los electores serán seleccionados y el día en el que habrán de votar; ese día será el mismo en toda la Nación.

No será elegible para el cargo de presidente quien no sea ciudadano por nacimiento o ciudadano de los Estados Unidos en la fecha en que esta Constitución sea adoptada. Tampoco será elegible para ese cargo quien no haya cumplido treinta y cinco años de edad y no haya sido residente dentro de los Estados Unidos durante catorce años.

En caso de destitución del Presidente de su cargo, o si muere, renuncia o queda incapacitado para cumplir con las facultades y los deberes del susodicho cargo, este será ocupado por el Vicepresidente; y en caso de destitución, muerte, renuncia o incapacidad tanto del Presidente como del Vicepresidente, el Congreso podrá intervenir con apego a derecho, declarando qué funcionario desempeñará entonces la Presidencia, y tal funcionario ejercerá dicho cargo hasta que la incapacidad cese o un Presidente haya sido elegido.

El Presidente recibirá a cambio de sus servicios, en las fechas que así se determine, una remuneración que no podrá ser ni aumentada ni disminuida durante el periodo para el cual haya sido elegido, y no recibirá dentro de ese periodo ningún otro emolumento, ni de los Estados Unidos ni de ninguno de los estados.

Antes de iniciar el desempeño de su cargo, el Presidente prestará el siguiente juramento o promesa: "Juro (o prometo) solemnemente que desempeñaré fielmente el cargo de Presidente de los Estados Unidos y que hasta el límite de mis capacidades guardaré, protegeré y defenderé la Constitución de los Estados Unidos".

Sección 2.

El Presidente será Comandante en Jefe del Ejército y de la Marina de Guerra de los Estados Unidos, y también de la Milicia de los distintos Estados cuando esta sea llamada al servicio activo de la Nación; él podrá requerir la opinión por escrito del funcionario principal de cada uno de los departamentos del Ejecutivo sobre cualquier asunto que se relacione con los deberes de sus respectivos cargos y tendrá facultad para suspender la ejecución de sentencias y para conceder indultos por delitos contra los Estados Unidos, excepto en casos de juicio político.

Con el consejo y consentimiento del Senado, él tendrá poder para celebrar tratados, siempre que las dos terceras partes de los senadores presentes le den su anuencia; así mismo, él propondrá y, con el consejo y consentimiento del Senado, designará embajadores, otros ministros y cónsules públicos, jueces de la Corte Suprema y todos los demás funcionarios de los Estados Unidos cuyas designaciones no estén prescritas en este lugar y que serán establecidas conforme a la ley; empero, con apego a la ley, el Congreso podrá confiar la designación de esos funcionarios subalternos, según lo juzgue prudente, al Presidente únicamente, a los tribunales de justicia o a los jefes de departamento.

El Presidente tendrá la facultad de llenar todas las vacantes que se puedan presentar durante el receso del Senado, otorgando nombramientos que expirarán al final de la siguiente sesión del mismo.

Sección 3.

El Presidente informará con regularidad al Congreso sobre el estado de la Unión y le recomendará las medidas que él estime necesarias y convenientes; en ocasiones extraordinarias, podrá convocar a ambas Cámaras o a cualquiera de ellas, y en caso de desacuerdo entre las Cámaras con respecto a la fecha del receso, el Presidente la podrá determinar cuando lo juzgue conveniente; él recibirá a los embajadores y otros ministros públicos; también velará por el fiel cumplimiento de las leyes y autorizará los nombramientos de todos los funcionarios de los Estados Unidos.

Sección 4.

El Presidente, el Vicepresidente y todos los funcionarios civiles de los Estados Unidos serán

destituidos de sus cargos en caso de ser sometidos a un juicio político y recibir una condena por traición, cohecho u otros delitos graves y faltas leves.

ARTÍCULO III.

Sección 1.

El Poder Judicial de los Estados Unidos residirá en una Corte Suprema y en los tribunales menores que el Congreso cree y establezca periódicamente. Los jueces, ya sea de la Corte Suprema o de los tribunales menores, conservarán sus cargos mientras observen buena conducta; y, en determinadas fechas, recibirán una remuneración por sus servicios, la cual no será rebajada mientras ellos continúen en sus cargos.

Sección 2.

El Poder Judicial se extenderá a todos los casos que en derecho y equidad surjan bajo esta Constitución, las leyes de los Estados Unidos y los tratados celebrados o que se vayan a celebrar bajo su autoridad; – a todos los casos que afecten a embajadores y otros ministros públicos y cónsules; – a todos los casos de almirantazgo y jurisdicción marítima; – a las controversias en las que Estados Unidos sea una de las partes; – a las controversias entre dos o más estados; – [entre un estado y los ciudadanos de otro estado;] – entre los ciudadanos de diferentes estados; – entre los ciudadanos del mismo estado que reclamen tierras bajo concesiones otorgadas por diversos estados, y entre un estado o los ciudadanos del mismo y estados, [ciudadanos o súbditos] extranjeros.

La Corte Suprema tendrá jurisdicción original en todos los casos que afecten a embajadores, a otros ministros públicos y cónsules, y en aquellos en los que un estado sea una de las partes. En todos los demás casos antes mencionados, la Corte Suprema tendrá jurisdicción de apelación, tanto de derecho como de hecho, con las excepciones y bajo la reglamentación que el Congreso establezca.

Todas las causas penales serán juzgadas por jurado, salvo los casos de juicio político, y el proceso se llevará a cabo en el estado en el que dichos delitos hayan sido cometidos; empero, si no fueron cometidos en ningún estado, el juicio se celebrará en el sitio o los sitios que el Congreso designe de acuerdo a la ley.

Sección 3.

El delito de traición contra los Estados Unidos consistirá solamente en levantarse en armas contra dicho país o en aliarse a sus enemigos, brindándoles ayuda y facilidades. Nadie será convicto de traición a menos que se cuente con el testimonio de dos testigos del mismo acto manifiesto, o por confesión en audiencia pública.

El Congreso tendrá poder para declarar la pena por el delito de traición, pero la sentencia por traición no implicará la corrupción de la sangre ni impondrá confiscación alguna, salvo durante la vida de la persona sentenciada.

ARTÍCULO IV.

Sección 1.

Cada estado considerará de buena fe y dará crédito a las leyes, registros públicos y procedimientos judiciales de todos los demás estados. Y el Congreso podrá prescribir, por medio de leyes generales, la manera de probar tales leyes, registros y procedimientos, así como el efecto de los mismos.

Sección 2.

Los ciudadanos de cada estado tendrán derecho a todos los privilegios e inmunidades de los ciudadanos de los distintos estados.

La persona que en un estado cualquiera sea acusada de traición, delito grave o cualquier otro crimen, y huya de la justicia del estado donde se le acusó y sea hallada en otro estado, será entregada a la autoridad ejecutiva del estado del cual se evadió, a solicitud de dicha autoridad, para que sea conducida al estado que tenga jurisdicción para conocer del delito.

[Ninguna persona forzada a prestar servicio o a trabajar en un estado, bajo las leyes del mismo, que huya a otro estado será dispensada de prestar dicho servicio o trabajo amparándose en leyes o reglamentos del estado al cual huyó, sino será entregada a petición de la parte que tenga derecho a su servicio o trabajo.]

Sección 3.

El Congreso podrá admitir nuevos estados a esta Unión; pero no se podrá formar ni establecer ningún estado nuevo dentro de la jurisdicción de otro estado cualquiera; tampoco se podrá formar ningún estado por la fusión de dos o más estados o partes de estados, sin el consentimiento tanto de las Asambleas Legislativas de los estados en cuestión como del Congreso.

El Congreso tendrá facultades para disponer de, y para promulgar todas las reglas y reglamentos necesarios en relación con el territorio u otras propiedades pertenecientes a los Estados Unidos; y ningún pasaje de esta Constitución se deberá interpretar en perjuicio de cualquier reclamación de los Estados Unidos o de algún estado en particular.

Sección 4.

Estados Unidos garantizará a todos los estados de esta Unión una forma de gobierno republicana y protegerá a cada uno de ellos contra cualquier invasión; y cuando así lo solicite la Asamblea Legislativa, o el Ejecutivo (si no es factible convocar a la primera), también los protegerá de la violencia interna.

ARTÍCULO V.

El Congreso propondrá enmiendas a esta Constitución, siempre que dos terceras partes de ambas Cámaras así lo estimen necesario; o bien, a petición de las Asambleas Legislativas de dos terceras partes de los estados, convocará a una Convención para proponer enmiendas, las cuales, en uno u otro caso, serán válidas para todos los fines y propósitos como parte de esta Constitución, cuando sean ratificadas por las Asambleas Legislativas de tres cuartas partes de los estados, o por Convenciones celebradas en tres cuartas partes de los mismos, de acuerdo con el modo de ratificación que haya propuesto el Congreso; siempre y cuando [ninguna enmienda hecha antes del año mil ochocientos ocho pueda afectar en modo alguno los incisos primero y cuarto de la novena sección del primer artículo; y], sin su consentimiento, ningún estado sea privado de la igualdad en materia de sufragio en el Senado.

ARTÍCULO VI.

Todas las deudas y obligaciones contraídas antes de la adopción de esta Constitución serán tan válidas para los Estados Unidos bajo esta Constitución como lo eran bajo la Confederación.

Esta Constitución y las leyes de los Estados Unidos que en virtud de ella sean creadas; y todos los tratados previamente celebrados o que se celebren bajo la autoridad de los Estados Unidos serán la ley suprema de la Nación; y los jueces de cada estado estarán obligados a acatarla, aun cuando hubiere alguna disposición en contrario en la Constitución o en las leyes de cualquier Estado.

Los senadores y representantes antes mencionados y los miembros de las Asambleas Legislativas de los diversos estados, así como todos los funcionarios ejecutivos y judiciales, tanto de los Estados Unidos como de los distintos estados, se comprometerán bajo juramento o promesa a hacer cumplir esta Constitución; mas no se exigirá jamás requisito religioso alguno como condición para ocupar una comisión o un cargo público, retribuido o de confianza, bajo la autoridad de los Estados Unidos.

ARTÍCULO VII.

La ratificación de las Convenciones de nueve estados será suficiente para el Establecimiento de esta Constitución entre los estados que la ratifiquen.

La Palabra "el" está intercalada entre los renglones séptimo y octavo de la primera página: la palabra "Treinta" aparece escrita parcialmente sobre una tachadura en el decimoquinto renglón de la primera página; las palabras "es juzgado" están intercaladas entre el trigésimo segundo y el trigésimo tercer renglones de la primera página, y la palabra "la" está intercalada entre el cuadragésimo tercero y el cuadragésimo cuarto renglones de la segunda página.

Doy fe, Secretario William Jackson

Dada en Convención con el consentimiento unánime de los estados presentes, el decimoséptimo día de septiembre del Año de Nuestro Señor de mil setecientos ochenta y siete, y decimosegundo de la independencia de los Estados Unidos de América.

En testimonio de lo cual nosotros suscribimos la presente con nuestros nombres, Go. Washington - Presidente y delegado de Virginia

Delaware

Geo. Read

Gunning Bedford jun John Dickinson

Richard Bassett Jaco. Broom

MARYLAND

James McHenry

Dan of St Thos Jenifer Danl Carroll

VIRGINIA

John Blair

James Madison Jr. **Carolina del Norte** W^{m}. Blount

Richd Dobbs Spaight Hu Williamson

CAROLINA DEL SUR

J. Rutledge

Charles Cotesworth Pinckney Charles Pinckney

Pierce Butler **Georgia** William Few Abr. Baldwin

Nueva Hampshire John Langdon Nicholas Gilman **Massachusetts** Nathaniel Gorham Rufus King

CONNECTICUT

Wm Saml Johnson Roger Sherman **Nueva York** Alexander Hamilton **Nueva Jersey**

Wil Livingston David Brearley Wm Paterson Jona. Dayton **Pennsylvania** B Franklin

Thomas Mifflin Robt Morris Geo. Clymer Thos. FitzSimons Jared Ingersoll James Wilson.

Gouv Morris

ENMIENDAS A LA CONSTITUCIÓN DE LOS ESTADOS UNIDOS

(La Carta de Derechos: Enmiendas I - X)

Preámbulo a la Carta de Derechos

Congreso de los Estados Unidos iniciado y celebrado en la Ciudad de Nueva York el miércoles cuatro de marzo de mil setecientos ochenta y nueve.

Las Convenciones de algunos de los estados, habiendo expresado en el momento de adoptar la Constitución el deseo de que, para prevenir la mala interpretación o el abuso de sus facultades, se agreguen ciertas cláusulas declaratorias y restrictivas: Y a fin de ampliar las bases de la confianza pública en el Gobierno, como mejor se garanticen los propósitos beneficiosos de su institución,

RESOLVIERON por medio del Senado y la Cámara de Representantes de los Estados Unidos de América, en una reunión del Congreso a la cual concurrieron dos terceras partes de ambas Cámaras, que los siguientes Artículos fueran propuestos a las Asambleas Legislativas de los diferentes Estados como enmiendas a la Constitución de los Estados Unidos, considerando que todos o cualquiera de sus artículos, una vez ratificados por tres cuartas partes de las susodichas Asambleas Legislativas, serán válidos para todos los fines y propósitos, como parte de dicha Constitución; a saber.

ARTÍCULOS que, en adición y enmienda de la Constitución de los Estados Unidos de América, fueron propuestos por el Congreso y ratificados por las Asambleas Legislativas de los distintos estados, de conformidad con el quinto artículo de la Constitución original.

ENMIENDA I

El Congreso no aprobará ninguna ley que se aboque al establecimiento de religión alguna, o que prohíba el libre ejercicio de la misma; o que coarte la libertad de expresión o de prensa; o el derecho del pueblo a reunirse pacíficamente y a solicitar del Gobierno la reparación de agravios.

ENMIENDA II

Siendo necesaria para la seguridad de un Estado libre una Milicia bien organizada, no se deberá coartar el derecho del pueblo a poseer y portar armas.

ENMIENDA III

En tiempos de paz, ningún soldado será alojado en vivienda alguna sin el consentimiento del propietario; ni tampoco lo será en tiempos de guerra, salvo en la forma que prescriba la ley.

ENMIENDA IV

No se violará el derecho del pueblo a la seguridad de sus personas, hogares, documentos y pertenencias, contra allanamientos e incautaciones fuera de lo razonable, y no se expedirá ningún mandamiento judicial para el efecto, si no es en virtud de causa probable, respaldada en juramento o promesa, y con la descripción en detalle del lugar que habrá de ser allanado y de las personas o efectos que serán objeto de detención o incautación.

ENMIENDA V

Ninguna persona será obligada a responder por un delito capital o infamante si no es en virtud de denuncia o acusación por un gran jurado, salvo en los casos que ocurran en las fuerzas armadas de mar y tierra, o en la Milicia, cuando estén en servicio activo en tiempos de guerra o de peligro público; ni podrá persona alguna ser sometida dos veces, por el mismo delito, a un juicio que pueda ocasionar la pérdida de su vida o de su integridad corporal; ni será compelida a declarar contra sí misma en ningún proceso penal, ni será privada de su vida, su libertad o sus bienes sin el debido procedimiento legal; ni se podrá expropiar una propiedad privada para destinarla a uso público sin la justa compensación.

ENMIENDA VI

En todas las causas penales, el acusado gozará del derecho a un juicio expedito y público, por un jurado imparcial del Estado y distrito en el cual haya sido cometido el delito, distrito que será previamente fijado de acuerdo a la ley; y a ser informado de la naturaleza y causa de la acusación; a carearse con los testigos en su contra; a que se adopten medidas compulsivas para la comparecencia de los testigos que cite a su favor y a contar con la asistencia de un abogado para su defensa.

ENMIENDA VII

En litigios bajo el derecho consuetudinario en los que el valor objeto de controversia exceda de veinte dólares, se mantendrá el derecho a juicio por jurado, y ningún hecho que haya sido juzgado por un jurado podrá ser revisado por tribunal alguno de los Estados Unidos, si no es de acuerdo con las reglas del derecho consuetudinario.

ENMIENDA VIII

No se requerirán fianzas excesivas, ni se impondrán multas excesivas ni castigos crueles e inusuales.

ENMIENDA IX

La mención de ciertos derechos en la Constitución no se debe interpretar como la denegación o la restricción de otros derechos que el pueblo se haya reservado para sí mismo.

ENMIENDA X

Las facultades que esta Constitución no delegue expresamente al Gobierno Federal, ni prohíba a los estados, quedan reservadas respectivamente a los estados o al pueblo.

ENMIENDA XI (1795)

No se debe considerar que el Poder Judicial de los Estados Unidos se extienda a litigio alguno, en derecho o en equidad, incoado o instruido contra alguno de los estados de la Unión por ciudadanos de otro estado, o por ciudadanos o súbditos de cualquier Estado extranjero.

ENMIENDA XII (1804)

Los electores se reunirán en sus respectivos estados y, por sufragio secreto, votarán por un Presidente y Vicepresidente, uno de los cuales, por lo menos, no debe ser residente del mismo estado que ellos; designarán en sus papeletas a la persona por quien voten para Presidente, y en papeletas distintas, a la persona por quien voten para Vicepresidente, y harán listas por separado de todos aquellos por quienes hayan votado para Presidente y de todos aquellos por quienes hayan votado para Vicepresidente, con el número de votos emitidos a favor de cada uno; esas listas serán firmadas, certificadas y remitidas por ellos, debidamente selladas, a la sede del Gobierno de los Estados Unidos, dirigidas al Presidente del Senado;—El Presidente del Senado, en presencia del Senado y de la Cámara de Representantes, abrirá todos los certificados y entonces se procederá a contar los votos;—La persona que obtenga el mayor número de votos para el cargo de presidente será Presidente si ese número constituye la mayoría del número total de los electores designados; y si ninguna persona obtiene tal mayoría, entonces entre las tres personas a lo sumo que hayan obtenido mayor número de votos en la lista para Presidente, la Cámara de Representantes elegirá de inmediato, por votación secreta, al Presidente. Pero al elegir al Presidente, los votos se emitirán por estados, correspondiendo un voto a la representación de cada estado; para este fin, el quórum consistirá en un miembro o miembros de dos terceras partes de los estados, siendo necesaria la mayoría de todos los estados para ganar la elección.

{Y si la Cámara de Representantes, cuando el derecho de elegir recaiga sobre ella, no elige un Presidente [antes del cuarto día del mes de marzo siguiente], entonces el Vicepresidente hará las veces de Presidente, igual que en caso de muerte u otra inhabilitación constitucional del Presidente.}** —Será Vicepresidente la persona que obtenga el mayor número de votos para el cargo de vicepresidente, si dicho número constituye la mayoría del número total de electores designados; y

** Sustituido por la Sección 3 de la vigésima Enmienda.

si ninguna persona obtiene mayoría, entonces el Senado elegirá al Vicepresidente entre las dos personas de la lista que hayan obtenido mayor número de votos; para este fin el quórum consistirá en las dos terceras partes del número total de Senadores, requiriéndose la mayoría del número total para la elección. Empero, ninguna persona constitucionalmente inelegible para el cargo de presidente será elegible para el de Vicepresidente de los Estados Unidos.

ENMIENDA XIII (1865)

Sección 1.

Ni la esclavitud ni la servidumbre involuntaria existirán en los Estados Unidos o en cualquier lugar sujeto a su jurisdicción, salvo como castigo por un delito del cual la persona haya sido debidamente convicta.

Sección 2.

El Congreso tendrá facultades para hacer cumplir las disposiciones de este artículo por medio de la legislación apropiada.

ENMIENDA XIV (1868)

Sección 1.

Toda persona nacida o naturalizada en los Estados Unidos y sujeta a su jurisdicción, será ciudadana de los Estados Unidos y del estado en el que resida. Ningún estado aprobará o hará cumplir ley alguna que restrinja los privilegios o inmunidades de los ciudadanos de los Estados Unidos; ni ningún estado privará a persona alguna de su vida, su libertad o su propiedad sin el debido procedimiento legal; ni negará a nadie, dentro de su jurisdicción, la protección de las leyes en un plano de igualdad.

Sección 2.

Los representantes serán prorrateados entre los distintos estados de acuerdo con su respectiva población, contando el número total de personas en cada estado [sin contar a los indígenas que no pagan contribuciones]. Pero cuando el derecho de votar en cualquier elección por las personas que hayan sido escogidas por los electores para los cargos de Presidente y Vicepresidente de los Estados Unidos, por representantes en el Congreso, por funcionarios ejecutivos y judiciales de un estado o por miembros de la Asamblea Legislativa del mismo, le sea negado a cualquiera de los residentes varones de tal estado que tengan veintiún años de edad** o más y sean ciudadanos de los Estados Unidos; o cuando de cualquier modo ese derecho les sea restringido, excepto por haber participado en una rebelión u otro delito, la base de la representación será reducida para dicho estado en la proporción que el número de tales ciudadanos varones guarde con respecto al total de los ciudadanos varones de veintiún años de edad o más en dicho estado.

Sección 3.

No podrá ser senador o representante en el Congreso, ni elector para elegir Presidente y Vicepresidente, ni desempeñará cargo civil o militar alguno bajo la autoridad de los Estados Unidos o de cualquier estado, quien, habiendo jurado previamente defender la Constitución de los Estados Unidos como miembro del Congreso, como funcionario de los Estados Unidos o como miembro de la Asamblea Legislativa de cualquier estado o como funcionario ejecutivo o judicial del mismo, haya tomado parte en alguna insurrección o rebelión contra los Estados Unidos o haya prestado ayuda o facilidades a los enemigos del país. Empero el Congreso, por medio del voto de dos terceras partes de cada Cámara, podrá subsanar esa incapacidad.

Sección 4.

No se cuestionará la validez de la deuda pública de los Estados Unidos autorizada de acuerdo a la ley, incluso las deudas contraídas para el pago de pensiones y recompensas por servicios prestados para sofocar insurrecciones o rebeliones.

** Modificado por la Sección 1 de la Vigésimo Sexta Enmienda.

Pero ni los Estados Unidos ni ningún Estado asumirán o pagarán deuda u obligación alguna contraída para ayudar a una insurrección o rebelión contra los Estados Unidos, ni reclamación alguna por la pérdida o emancipación de algún esclavo; ya que tales deudas, obligaciones y reclamaciones serán consideradas ilegales y nulas.

Sección 5.

El Congreso tendrá facultades para hacer cumplir las disposiciones de esta enmienda por medio de la legislación apropiada.

ENMIENDA XV (1870)

Sección 1.

Ni los Estados Unidos ni ningún estado de la Unión podrán negar o coartar el derecho de los ciudadanos de los Estados Unidos al sufragio por razón de raza, color o condición previa de servidumbre.

Sección 2.

El Congreso tendrá facultades para hacer cumplir las disposiciones de este artículo por medio de la legislación apropiada.

ENMIENDA XVI (1913)

El Congreso tendrá facultades para aplicar y recaudar impuestos sobre ingresos, sea cual fuere la fuente de la que éstos provengan, sin prorrateo entre los diversos estados y sin considerar ningún censo o enumeración.

ENMIENDA XVII (1913)

El Senado de los Estados Unidos estará conformado por dos senadores de cada estado, elegidos por el pueblo de este para un periodo de seis años, y cada senador tendrá derecho a un voto. Los electores de cada estado deberán poseer los requisitos necesarios para ser electores de la rama más numerosa de las Asambleas Legislativas estatales.

Cuando en el Senado se presenten vacantes en la representación de algún estado, la autoridad ejecutiva de dicho estado convocará a elecciones para llenar esas vacantes: siempre y cuando la Asamblea Legislativa de cualquier estado pueda conferir a su propio Ejecutivo facultades para conceder nombramientos temporales hasta que el pueblo llene las vacantes por medio de una elección, en la forma que la Asamblea Legislativa disponga.

Esta enmienda no deberá ser interpretada en modo alguno que afecte la elección o el periodo de servicio de ningún senador elegido antes de la entrada en vigor de la misma como parte de la Constitución.

ENMIENDA XVIII (1919, revocada por la Enmienda XXI)

Sección 1.

Al cabo de un año de la ratificación de este artículo, por la presente queda prohibida la fabricación, venta o transporte de bebidas embriagantes dentro de los Estados Unidos y todos los territorios sujetos a su jurisdicción, así como su importación a, o su exportación desde los mismos.

Sección 2.

El Congreso y los diversos estados tendrán facultades concurrentes para hacer cumplir las disposiciones de este artículo por medio de la legislación apropiada.

Sección 3.

Este artículo no tendrá efecto alguno, a menos que las Asambleas Legislativas de los distintos estados la ratifiquen como una enmienda a la Constitución, conforme a lo preceptuado en ésta, en un plazo de siete años contados a partir de la fecha en la que el Congreso la someta a la consideración de los estados.

ENMIENDA XIX (1920)

El derecho de los ciudadanos de los Estados Unidos al sufragio no podrá ser denegado o coartado a causa del sexo, ni por los Estados Unidos ni por ningún Estado.

El Congreso tendrá facultades para hacer cumplir las disposiciones de este artículo por medio de la legislación apropiada.

ENMIENDA XX (1933)

Sección 1.

El periodo de servicio del Presidente y el Vicepresidente expirará al mediodía del vigésimo día de enero, y el de los senadores y representantes al mediodía del tercer día de enero, de los años en los cuales dicho término habría expirado si no hubiera sido ratificado este artículo; y entonces empezará el periodo de sus sucesores.

Sección 2.

El Congreso se reunirá por lo menos una vez al año, y esa sesión comenzará al mediodía del tercer día de enero, a menos que se disponga otra fecha conforme a la ley.

Sección 3.

Si en la fecha en que el Presidente tenga que empezar a desempeñar su cargo, el Presidente electo ha muerto, el Vicepresidente electo se convertirá en Presidente. Si no se ha elegido un Presidente antes de la fecha en que este debe iniciar sus funciones, o si el Presidente electo no ha llenado los requisitos, entonces el Vicepresidente electo hará las veces de Presidente hasta que un Presidente llene los requisitos; y, con apego a la ley, el Congreso podrá tomar providencias en caso de que ni el Presidente ni el Vicepresidente electos reúnan los requisitos necesarios, declarando quién hará entonces las veces de Presidente, o el modo en que se seleccionará a quien deba de actuar como tal, debiendo dicha persona desempeñarse en esa capacidad hasta que se designe un Presidente o un Vicepresidente que llene los requisitos.

Sección 4.

El Congreso podrá, de acuerdo a la ley, tomar providencias en caso de que muera cualquiera de las personas entre las cuales la Cámara de Representantes puede elegir un Presidente, siempre que recaiga sobre ellos el derecho de hacer tal selección, y en caso del fallecimiento de cualquiera de las personas entre las cuales el Senado puede elegir un Vicepresidente, cuando el derecho de hacer tal selección recaiga sobre ellos.

Sección 5.

Las Secciones 1 y 2 entrarán en vigor el decimoquinto día del mes de octubre siguiente a la ratificación de este artículo.

Sección 6.

Este artículo no surtirá efecto alguno, a menos que las Asambleas Legislativas de tres cuartas partes de los distintos Estados lo ratifiquen como enmienda a la Constitución, en un plazo de siete años a partir de la fecha en que les sea presentado.

ENMIENDA XXI (1933)

Sección 1.

Por la presente, el decimoctavo artículo de enmienda a la Constitución de los Estados Unidos queda derogado.

Sección 2.

El transporte o la importación de bebidas embriagantes a cualquier estado, territorio o posesión de los Estados Unidos, para su entrega o uso en los mismos en violación de las leyes allí vigentes, quedan prohibidos por la presente.

Sección 3.

Este artículo no tendrá efecto alguno, a menos que haya sido ratificado como una enmienda a la Constitución por convenciones reunidas en los distintos estados, tal como se ha dispuesto en la Constitución, en un plazo de siete años a partir de la fecha en que el Congreso lo someta a la consideración de los estados.

ENMIENDA XXII (1951)

Sección 1.

Ninguna persona podrá ser elegida más de dos veces para el cargo de presidente, y nadie que haya ocupado el cargo de presidente, o que haya actuado como Presidente por más de dos años de un periodo para el cual fue elegida otra persona, podrá ser elegido más de una vez para el cargo de presidente. Empero, este artículo no se aplicará a ninguna persona que ocupe el cargo de presidente cuando dicho artículo fue propuesto por el Congreso, y no impedirá que la persona que esté ocupando el cargo de presidente, o que haga las veces de Presidente, durante el periodo en que este artículo entre en vigor, ocupe el cargo de presidente o haga las veces de Presidente por el resto de dicho periodo.

Sección 2.

Este artículo no tendrá efecto alguno, a menos que haya sido ratificado como una enmienda a la Constitución por las Asambleas Legislativas de tres cuartas partes de los distintos Estados en un plazo de siete años a partir de la fecha en que el Congreso lo someta a la consideración de los estados.

ENMIENDA XXIII (1961)

Sección 1.

El Distrito que constituye la sede del Gobierno de los Estados Unidos, designará en la forma que lo prescriba el Congreso:

Un número de electores de Presidente y Vicepresidente igual al número total de senadores y representantes que le correspondería en el Congreso al Distrito si este fuere un Estado, pero en ningún caso dicho número será mayor que el del Estado que tenga menos población; dichos electores serán adicionales a los designados por los estados, pero para los fines de la elección del Presidente y el Vicepresidente serán considerados como electores designados por un estado; y se reunirán en el Distrito y desempeñarán los deberes prescritos en el decimo segundo artículo de enmienda.

Sección 2.

El Congreso tendrá facultades para hacer cumplir las disposiciones de este artículo por medio de la legislación apropiada.

ENMIENDA XXIV (1964)

Sección 1.

El derecho de los ciudadanos de los Estados Unidos a votar en una elección primaria o en cualquier otra por el Presidente o el Vicepresidente, por electores del Presidente o el Vicepresidente, o por Senadores o Representantes en el Congreso, no les será denegado o restringido por los Estados Unidos ni por cualquier estado por el hecho de no haber pagado cualquier capitación u otro impuesto.

Sección 2.

El Congreso tendrá facultades para hacer cumplir las disposiciones de este artículo por medio de la legislación apropiada.

ENMIENDA XXV (1967)

Sección 1.

En caso de remoción del cargo, muerte o renuncia del Presidente, el Vicepresidente se convertirá en Presidente.

Sección 2.

Siempre que se presente una vacante en el cargo de vicepresidente, el Presidente nombrará un Vicepresidente, quien tomará posesión de su cargo una vez que haya sido ratificado por mayoría de votos en ambas Cámaras del Congreso.

Sección 3.

Siempre que el Presidente, en una declaración escrita, comunique al Presidente pro témpore del Senado y al Presidente de la Cámara de Representantes que está incapacitado para desempeñar las facultades y obligaciones de su cargo, y en tanto no les transmita una declaración escrita que diga lo contrario, tales facultades y obligaciones serán desempeñadas por el Vicepresidente, en calidad de Presidente interino.

Sección 4.

Siempre que el Vicepresidente y la mayoría de los funcionarios principales de los departamentos del Ejecutivo, o de otro órgano como el Congreso, según lo disponga la ley, transmitan al Presidente pro témpore del Senado y al Presidente de la Cámara de Representantes su declaración escrita de que el Presidente está incapacitado para desempeñar las facultades y obligaciones de su cargo, el Vicepresidente asumirá de inmediato las facultades y obligaciones de dicho cargo como Presidente interino.

Más tarde, cuando el Presidente transmita al Presidente pro témpore del Senado y al Presidente de la Cámara de Representantes su declaración escrita de que ya no existe tal incapacidad, él reasumirá las facultades y obligaciones de su cargo, a menos que el Vicepresidente y la mayoría de los funcionarios principales de los departamentos del Ejecutivo, o de otro órgano como el Congreso, según lo disponga la ley, transmitan dentro de un plazo de cuatro días al Presidente pro témpore del Senado y al Presidente de la Cámara de Representantes su declaración escrita de que el Presidente está incapacitado para desempeñar las facultades y obligaciones de su cargo. A partir de entonces, el Congreso tendrá que resolver la cuestión, reuniéndose en un plazo de cuarenta y ocho horas para ese propósito, si no se encuentra en sesión. Si dentro de los veintiún días siguientes a la recepción de la última declaración escrita o, si el Congreso no está en sesiones, dentro de los veintiún días siguientes a la fecha en que dicho órgano fue convocado, el Congreso determina por dos tercios del voto de ambas Cámaras que el Presidente está incapacitado para desempeñar las funciones y obligaciones de su cargo, el Vicepresidente seguirá desempeñando las mismas como Presidente interino; de lo contrario, el Presidente reasumirá los poderes y obligaciones de su cargo.

ENMIENDA XXVI (1971)

Sección 1.

El derecho al voto de los ciudadanos de los Estados Unidos que tengan dieciocho años de edad o más no será denegado o coartado, ni por los Estados Unidos ni por estado alguno, a causa de la edad.

Sección 2.

El Congreso tendrá facultades para poner en vigor este artículo por medio de la legislación apropiada.

ENMIENDA XXVII (1992)

Ninguna ley que modifique la remuneración por los servicios de los senadores y representantes podrá entrar en vigor mientras no se lleve a cabo una nueva elección de Representantes.

ÍNDICE

- CAPITULO II -

- CAPITULO III -

- CAPITULO IV -

ANEXO 1

ANEXO 2

ANEXO 3

ANEXO 4

Verba volant, scripta manent

Printed in the USA
CPSIA information can be obtained
at www.ICGtesting.com
LVHW090047131123
763661LV00070B/2894